主編◎錢超塵
副主編◎王育林　劉陽

明萬曆朝鮮内醫院活字本《素問》（上）

北京科學技術出版社

圖書在版編目（CIP）數據

明萬曆朝鮮内醫院活字本《素問》：全三册 / 錢超塵主編. —北京：北京科學技術出版社，2019.3

（《黄帝内經》版本通鑒. 第一輯）

ISBN 978 – 7 – 5714 – 0102 – 3

Ⅰ. ①明… Ⅱ. ①錢… Ⅲ. ①《素問》 Ⅳ. ①R221.1

中國版本圖書館 CIP 數據核字（2019）第018240號

明萬曆朝鮮内醫院活字本《素問》：全三册（《黄帝内經》版本通鑒·第一輯）

主　　編：錢超塵
策劃編輯：侍　偉　吴　丹
責任編輯：吕　艷　周　珊
責任印製：李　茗
責任校對：賈　榮
出 版 人：曾慶宇
出版發行：北京科學技術出版社
社　　址：北京西直門南大街16號
郵政編碼：100035
電話傳真：0086-10-66135495（總編室）
0086-10-66113227（發行部）　0086-10-66161952（發行部傳真）
電子信箱：bjkj@bjkjpress.com
網　　址：www.bkydw.cn
經　　銷：新華書店
印　　刷：北京虎彩文化傳播有限公司
開　　本：787mm × 1092mm　1/16
字　　數：1257千字
印　　張：104.75
版　　次：2019年3月第1版
印　　次：2019年3月第1次印刷
ISBN 978 – 7 – 5714 – 0102 – 3/R · 2588

定　　價：1980.00元（全三册）

《〈黄帝内經〉版本通鑒·第一輯》編纂委員會

主　編　錢超塵

副主編　王育林　劉　陽

前言

中醫是超越時代、跨越國度、具有永恒魅力的中華民族文化瑰寶，是富有當代價值、保護人體健康的生命科學，它將伴隨中華民族而永生。中醫學核心經典《黄帝内經》，包括《素問》和《靈樞》，奠定中醫理論基礎，指導作用歷久彌新，是臨床家登堂入室的津梁，理論家取之不盡的寶藏，是研究中國傳統文化必讀之書。

讀書貴得善本。章太炎先生鍼對中醫讀書不注重善本的問題，指出：『近世治經籍者，皆以得真本爲亟，獨醫家爲藝事，學者往往不尋古始。』認爲這是不好的讀書習慣；又説：『信乎，稽古之士，宜得善本而讀之也！』閲讀《黄帝内經》，必須對它的成書源流、歷史沿革、當代版本存佚狀況有明確的認識，纔能選擇佳善版本，獲取真知。

《黄帝内經》某些篇段出於战國時期，至西漢整理成文，《漢書・藝文志》載有『《黄帝内經》十八卷』。西晋皇甫謐《鍼灸甲乙經》類編其書，序云：『《黄帝内經》十八卷，今《鍼經》九卷，《素問》九卷，即《内經》也。』説明《黄帝内經》一直分爲兩種相對獨立的書籍流傳，一種名《素問》，一種名《鍼經》。《鍼經》即《靈樞》的初名，在流傳過程中也稱《九卷》《九靈》《九墟》，東漢末張仲景、魏太醫令王叔和均引用過《九卷》之名。

《素問》的版本傳承相對明晰。南朝梁全元起作《素問訓解》存亡繼絶，唐初楊上善類編《太素》取之。唐中期乾元三年（七六〇）朝廷詔令《素問》作爲中醫考試教材。唐中期王冰以全元起本爲底本作注，收入『七篇大論』，改爲二十四卷八十一篇，爲《素問》的流行奠定基礎。北宋天聖五年（一〇二七）、景祐二年（一〇三五）兩次以全元起本爲底本雕版刊行。北宋嘉祐年間（一〇五六—一〇六三）校正醫書局林億、孫奇等以王冰注本爲底本，增校勘、訓詁、釋音，仍以二十四卷八十一篇刊行。此後《素問》單行本均以北宋嘉祐本爲原本，歷南宋（金）、元、明、清至今，形成多個版本系統。二十四卷本，以金刻本（存十三卷）、元讀書堂本、明顧從德覆宋本、明無名氏覆宋本、明周曰校本、明《醫統正脉》本爲代表；十二卷本，以元古林書堂本、明熊宗立本、明趙府居敬堂本、明吴悌本爲代表；五十卷本，即道藏本；此外還有明清注家九卷本、日本刻九卷本等。南宋、北宋及更早之本俱已不存。

《靈樞》在魏晋以後至北宋初期的傳承情況，因史料有缺而相對隱晦。唐初楊上善類編《太素》收入《九卷》。唐中期王冰注《素問》引文，始有『靈樞經』之稱。因存本不全，北宋校正醫書局未校《靈樞》。遲至元祐七年（一〇九二），高麗進獻《黄帝鍼經》，始獲全帙，於元祐八年（一〇九三）正月由北宋政府頒行。此後《靈樞》再次沉寂，至南宋紹興乙亥（一一五五），史崧刊出家藏《靈樞》，將原本九卷校正並增修音釋，勒成二十四卷。此本成爲此後所有傳本的祖本，流傳至今形成多個版本系統。其中二十四卷本，以明無名氏仿宋本、明周曰校本爲代表；十二卷本，以元古林書堂本、明熊宗立本、明趙府居敬堂本、明田經本、明吴悌本、明吴勉學本爲代表；二十三卷本，即道藏本；此外還有明詹林所二卷本、道藏《靈樞略》一卷本、日本刻九卷本等。

《素問》《靈樞》各有單行本之外，《黄帝内經》尚有類編本。西晉皇甫謐《鍼灸甲乙經》，將《素問》《九卷》《明堂孔穴鍼灸治要》三書類編，但編輯時『删其浮辭，除其重複』，故與《素問》《靈樞》對勘，《鍼灸甲乙經》文句每不全足。唐代楊上善《黄帝内經太素》三十卷，將《九卷》《素問》全文收入，不加删掇，詳加注釋。《黄帝内經太素》的文獻價值巨大，但南宋之後却沉寂無聞，直到清光緒中葉，學者楊守敬在日本發現仁和寺存有仁和三年（八八七，相當於唐光啓三年）舊鈔卷子本，存二十三卷，遂影寫携歸，一時轟動醫林。嗣後日本國内相繼再發現佚文二卷有奇，至此《太素》現存二十五卷，堪稱《黄帝内經》版本史上的奇迹。

綜觀《黄帝内經》版本歷史，可謂一縷不絶，沉浮聚散；視其存亡現狀，又可謂同源異派，星分飄零。現存《黄帝内經》善本分散保存在國内外諸多藏書機構，此前囿於信息交流、印刷技術，從未有大規模集中最優秀版本出版的先例。當今電子信息技術發展日新月異，互聯網的普及使信息交流具有前所未有的廣泛性、時效性，乘此東風，《黄帝内經》現存的諸多優秀版本得以鳩聚刊印，爲中醫從業者及愛好者、傳統文化學者集中學習、研究提供便利。《〈黄帝内經〉版本通鑒》叢書，是首次對《黄帝内經》精善本的大規模集中解題、影印，目的是保存經典、傳承文明、繼往開來，爲振興中醫奠基，爲中華文化復興增添一份助力。

《〈黄帝内經〉版本通鑒·第一輯》，精選十二部經典版本，包含《素問》八部，《靈樞》二部，《黄帝内經太素》一部，《黄帝内經明堂》一部。列録如下。

①金刻本《素問》；②元古林書堂本《素問》；③元古林書堂本《靈樞》；④明熊宗立本《素問》；⑤明嘉靖無名氏覆宋刻本《素問》；⑥明嘉靖無名氏仿宋刻本《靈樞》；⑦明吴悌本《素問》；⑧明趙府居敬堂本《素問》；⑨明萬曆朝鮮内醫院活字本《素問》；⑩日本摹刻明顧從德本《素問》；⑪仁和寺本《黄帝内經太素》；⑫仁和寺本《黄帝内經明堂》。

這十二部經典版本，其特點如下。

（1）金刻本《素問》，是現存刊刻時代最早的版本，其年代相當於南宋時，版本價值極高。

（2）元古林書堂本《素問》《靈樞》各十二卷，刊刻時代僅次於金刻本，且所據底本爲孫奇家藏本，總體精善，此本已進入聯合國教科文組織《世界記憶亞太地區名録》。

（3）最新發現的『明嘉靖無名氏覆宋刻本《素問》』『明嘉靖無名氏仿宋刻本《靈樞》』各二十四卷合刊本，疑爲明嘉靖前期陸深所刻。此本《素問》各藏書機構多誤録作顧從德覆宋刻本，今考證得實，宇内尚存至少四部，擇品相優者影印推出，屬於史上首次。此本《靈樞》在一九九二年曾由日本經絡學會在版本不明的情况下影印出版，流傳稀少，今考證尚存世至少六部，兹擇品相佳者影印推出，在國内亦屬首次。

（4）《素問》《靈樞》合刊本兩種最具代表性：元古林書堂本是《素問》《靈樞》十二卷本之祖；明

嘉靖無名氏本是現存《靈樞》二十四卷本之祖，同刊《素問》是明周曰校本的底本。

（5）明代其餘四種《素問》均以元古林書堂本爲底本刊刻，而各有特色：熊宗立本爲明代最早，摹刻極工，添加句讀；吴悌本是罕見的去注解白文本；趙府居敬堂本品相上佳，是長期流傳廣泛的國内通行本之一；朝鮮内醫院活字本是現存最早《素問》活字本。

（6）日本摹刻明顧從德本《素問》屬『後出轉精』之作。此本爲日本安政三年（一八五六）由度會常珍所刻，所據底本爲澀江全善藏顧從德本，另據《黄帝内經太素》等校改誤字，澀江全善及森立之父子並參校讎。

（7）仁和寺本《黄帝内經太素》，屬類編《黄帝内經》最經典版本。原卷子抄寫時將楊上善撰注的《黄帝内經明堂類成》殘卷列首（因《黄帝内經太素》缺第一卷），今别析分刊。

本套叢書内的仁和寺本《黄帝内經太素》及《黄帝内經明堂》之底本由北京神黄科技股份有限公司總經理王和平先生免費提供，此義舉體現了王先生襄贊中華文化傳承事業的殷殷之念，在此謹致謝忱與敬意。

《〈黄帝内經〉版本通鑒》卷帙浩大，爲出版這套叢書，北京科學技術出版社章健總編、侍偉主任，以及編輯吴丹、吕艷、李兆弟等同仁以極高的使命感和責任心，付出了極大的心血和努力，克服了諸多困難，終成其功，謹此致以崇高敬意。相信這套叢書的推出，必不辜負同仁之望，在促進中醫藥事業發展、深化祖國傳統文化研究、增强國家文化軟實力等諸多方面做出應有的貢獻。

囿於執筆者眼界、學識，諸篇解題必有疏漏及訛誤之處，請方家、讀者不吝指正。

錢超塵

［說明：爲更準確地體現版本、訓詁學研究的學術内涵，撰寫時保留了部分異體字的使用，所選擇字樣如下：欬（欬嗽）、鍼（鍼灸）、並（並且）、併（合併）、嶽（山嶽）、異（異同）。］

目録

《黄帝内經》版本通鑒·第一輯

明萬曆朝鮮内醫院活字本《素問》（上）

解題 劉陽

解　題

明萬曆四十三年乙卯（一六一五）朝鮮内醫院據元古林書堂本活字排印本《素問》，在《素問》刊印史上是一個特殊的版本。

朝鮮半島自古與中國關係密切，其醫學也深受中原醫學影響。歷代官方和民間，都有積極訪求、收藏漢籍的傳統，也爲古典醫籍的保存、傳世做出了重大貢獻，其代表性的事件便是北宋時高麗進獻《黄帝鍼經》，從而使中原地區失傳已久的《靈樞》重見於世。在印刷史上，李氏朝鮮（一三九二—一八九七）也有着光輝的歷史，其最先大量鑄造金屬活字印書，真正使活字印刷術發揚光大。從李太宗三年（一四〇三，明永樂元年）第一次大規模鑄造『癸未字』開始，李朝政府歷次主持銅活字鑄造達二十次（至十六世紀末已達十三次），極大地促進了朝鮮的文明進程。朝鮮銅活字印刷有專門的校書館負責，印書紙墨俱佳，版式大方，字體優美，更由於其勘校嚴格，錯誤極少，以質量極高著稱於世。《李朝實録・宣宗大王實録》卷七載：『録内書册印出時，監印官、監校官、唱準、守藏、均字匠，每一卷一字誤錯者，笞三十，每一字加一等，印出匠，每一卷一字，或濃墨，或熹微者，笞三十，每一字加一等，並計字數治罪。官員五字以上，罷□。唱準以下匠人，論罪後削仕五十云。』可見在早期已形成整套成熟的賞罰制度，保證了書籍質量。醫書刊印事業也受惠於此，如經典巨著《醫方類聚》即最早在一四七七年使用『乙亥銅活字』印出，多種漢籍醫書也陸續得以重刊。

但令人奇怪的是，一直到十六世紀末，即銅活字印刷術推廣幾兩個世紀間，朝鮮並没有較大規模刊印醫經類醫書的記録。隨即，壬辰（一五九二）、丁酉（一五九七）兩次倭亂（指日本丰臣秀吉兩次入寇朝鮮）爆發，最終雖由明朝派兵助朝鮮擊退，但倭人擄去大量珍寶、書籍，校書館所藏銅鑄字亦被掠去散失殆盡。這次災難使朝鮮陷入一段全面困難時期，文化出版事業遭受重大打擊，其中當然也包括醫書。《李朝實録・宣宗大王實録》卷一百九十九記載：

宣祖三十九年（一六〇六）五月辛巳

内醫院啓曰：經變以後，内局方書蕩失無餘，非徒議藥之際考閲無據，新學之徒無所取質，終不免孤陋之患。今者收拾散亡諸書，粗得一二，欲用活字印出要切若干。醫書紙地則自本院已爲略備，計其工程，似不至大段，而匠役廪料辦出無路，極爲悶慮，如得校書館匠人十名，及□料，則要切之方可以印出，令□曹照依諸都監匠人，例參下□料題給，使之及時印出，何如？ 傳曰：允。

内醫院是爲宫中皇族提供醫療服務的專屬單位，倭亂之前，並不負責刊印大宗醫籍。倭亂之後，醫書散亡，此時刊印工作被迫提上緊要日程。但此時校書館已無銅活字資源，喪亂之餘，財政窘迫，短期内重新大量鑄造銅字也無可能。幸而匠人尚在，故内醫院奏請調來十名匠人及足够原料，在本院獨立設置出版機構，以木活字印出『要切』醫書。在得到宣宗允許之後，從此，内醫院走向了刊印醫書的前臺。

此版《新刊補注釋文黄帝内經素問》就是在這一背景下得以刊印的『要切』醫書之一。但與我們一般想法不同的是，《素問》雖列於要目，但仍非最緊要之書，排在它前面刊印的，有《食物本草》《諺解救急方》《諺解痘瘡集要》《東醫寶鑑》《新纂辟瘟方》等近十種。可以看出，除《東醫寶鑑》這樣剛剛編纂成的『國寶』書籍之外，其他都是大灾大亂之後，應對饑饉、瘟疫等的現實急用之書，確乎折射出當時朝鮮國内環境的嚴峻狀况。

所以，在這種條件下，在朝鮮光海君七年（一六一五，明萬曆四十三年）刊印的《素問》，成爲了非常特殊的一個版本。一方面，其因是現存最早的活字本《素問》而與衆不同；另一方面，其也因並非最具經典價值的古銅活字本而在版本史上留下遺憾。

此版《素問》是以元古林書堂本爲底本重新排印的，十二卷，仍題名爲『新刊補注釋文黄帝内經素問』，目録及某些卷次無『新刊』二字。四周雙邊，半葉十行，行十八字，注文雙行小字同，白口，對花魚尾，上魚尾下刻『内經』二字。

與元古林書堂本不同，此本目録牌記撤去邊框，以雙行小字刻出，僅『幸垂藻鑒』作『幸垂意藻鑒』，餘字皆同。

書末葉記刊行時間、監校官名氏，作：『萬曆四十三年二月　日内醫院奉教刊行。監校官：通訓大夫行内醫院直長臣李希憲；通訓大夫行内醫院直長臣尹知微。』

卷内文字排版風格獨特，凡注文，必换行低一字重排，雖只三四字者，亦得獨居一行，留白甚多，從而與正文、注文錯置有序，一目瞭然。此舉於版面頗不節約，但疏朗開闊、爽目可喜。

元古林書堂本最有標志性的一處文字是：卷一『四氣調神大論篇第二』中有『使志若伏若匪今詳「匪」字當作「匿」』之文，顧從德本及明無名氏覆宋本並作『使志若伏若匿』，無注文。朝鮮内醫院活字本卷一第十五葉下第三、四行，與元古林書堂本文同，可見並未與他本參校。

以元古林書堂本校朝鮮内醫院活字本，亦發現少量訛誤，如卷一第三十四葉下，小字注内六處『牝』字，俱誤作『牝』形。此仍不若古銅活字本之精審，其原因正如李晬光在《芝峰類説》卷三《君道·制度》中所説：『鑄字印書創自本朝，非中國所有也。自變後以刻板爲難，多用活字，而考校不審，易致訛誤，可恨。聞祖宗朝，凡書籍有誤者，監印官輒杖之，故絶無錯字。』但此要求也有些吹毛求疵了。

總體來看，《素問》朝鮮内醫院活字本爲現存較早的活字印刷成品，版式風格獨特，在《素問》的衆多版本中仍屬佳品。

劉陽

黃帝素問 一

校正黃帝内經素問序

臣聞安不忘危存不忘亡者往聖之先務求民之瘼恤民之隱者上主之深仁在昔黃帝之御極也以理身緒餘治天下坐於明堂之上臨觀八極考建五常以謂人之生也負陰而抱陽食味而被色外有寒暑之相盪内有喜怒之交侵夭昏札瘥國家代有將欲斂時五福以敷錫厥庶民乃與岐伯上窮天紀下極地理遠取諸物近取諸身更相問難垂法以福後世於是雷公之倫受業傳之而内經作矣歷代寶之未有失

墜蒼周之興秦和述六氣之論具明於左史厥後越人得其一二演而述難經西漢倉公傳其舊學東漢仲景撰其遺論晉皇甫謐次而爲甲乙及隋楊上善纂而爲太素時則有全元起者始爲之訓解闕第七一通迄唐寶應中太僕王冰篤好之得先師所藏之卷大爲次註猶是三皇遺文爛然可觀惜乎唐令列之醫學付之執技之流而薦紳先生罕言之去聖已遠其述晦昧是以文註紛錯義理混淆殊不知三墳之餘帝王之高致聖賢之能事唐堯之授四時虞舜

之齊七政神禹脩六府以興帝功文王推六子以叙卦氣伊尹調五味以致君箕子陳五行以佐世其致一也奈何以至精至微之道傳之以至下至淺之人其不廢絕爲已幸矣頃在嘉祐中仁宗念聖祖之遺事將墜于地迺詔通知其學者俾之是正臣等承乏典校伏念旬歲遂迺搜訪中外裒集衆本寖尋其義正其訛舛十得其三四餘不能具竊謂未足以稱明詔副聖意而又採漢唐書錄古醫經之存於世者得數十家叙而考正焉貫穿錯綜磅礴會通或端本以

尋支或泝流而討源定其可知次以舊目正謬誤者六千餘字增註義者二千餘條一言去取必有稽考舛文疑義於是詳明以之治身可以消患於未兆施於有政可以廣生於無窮恭惟

皇帝撫大同之運擁無疆之休述先志以奉成興微學而永正則和氣可召災害不生陶一世之民同躋于壽域矣國子博士臣高保衡光祿卿直祕閣臣林億等謹上

朝奉郎守國子博士同校正醫書上騎都尉

賜緋魚袋高保衡

朝奉郎守尚書屯田郎中同校正醫書騎都
尉賜緋魚袋孫奇
朝散大夫守光禄卿直秘閣判登聞檢院上
護軍林億

内經

黄帝内經素問序

啓玄子王冰撰

新校正云按唐人物志冰仕唐爲太僕令年八十餘以壽終

夫釋縛脱艱全眞導氣拯黎元於仁壽濟羸劣以獲安者非三聖道則不能致之矣孔安國序尚書曰伏羲神農黄帝之書謂之三墳言大道也班固漢書藝文志曰黄帝内經十八卷素問即其經之九卷也兼靈樞九卷迺其數焉

新校正云詳王氏此說蓋本皇甫士安甲乙經之序彼云七略藝文志黄帝内經十八卷今有鍼經九卷素問九卷共十八卷即内經也故王氏遵而用之又素問外九卷漢張仲

景及西晉王叔和脉經只爲之九卷皇甫士安名爲鍼經亦專名九卷楊玄操云黄帝内經二帙帙各九卷按隋書經籍志謂之九靈王冰名爲靈樞

雖復年移代革而授學猶存懼非其人而時有所隱故第七一卷師氏藏之今之奉行惟八卷爾然而其文簡其意博其理奥其趣深天地之象分陰陽之候列變化之由表死生之兆彰不謀而遐邇自同勿約而幽明斯契稽其言有徵驗之事不忒誠可謂至道之宗奉生之始矣假若天機迅發妙識玄通蕆謀雖屬乎生知標格亦資於詁訓未嘗有行不由逕出不由戶者也

然刻意研精探微索隱或識契眞要則目牛無全故動則有成猶鬼神幽贊而命世奇傑時時間出焉則周有秦公新校正云按别本一作和緩漢有淳于公魏有張公華公皆得斯妙道者也咸日新其用大濟蒸人華葉遞榮聲實相副蓋教之著矣亦天之假也冰弱齡慕道夙好養生幸遇眞經式爲龜鏡而世本紕繆篇目重疊前後不倫文義懸隔施行不易披會亦難歲月既淹襲以成弊或一篇重出而别立二名或兩論

併吞而都爲一目或問答未已別樹篇題或脫
簡不書而云世闕重合經而冠鍼服併方宜而
爲欬篇隔虛實而爲逆從合經絡而爲論要節
皮部爲經絡退至道以先鍼諸如此流不可勝
數且將升岱嶽非逕奚爲欲詣扶桑無舟莫適
乃精勤博訪而并有其人歷十二年方臻理要
詢謀得失深遂夙心時於先生郭子齋堂受得
先師張公秘本文字昭晰義理環周一以參詳
群疑冰釋恐散於末學絕彼師資因而撰註用
傳不朽兼舊藏之卷合八十一篇二十四卷勒

成一部

新校正云：詳素問第七卷亡已久矣。按皇甫士安晉人也，序甲乙經云亦有亡失。隋書經籍志載梁七錄亦云止存八卷。全元起隋人所註本乃無第七。王冰唐寶應中人，上至晉皇甫謐甘露中已六百餘年，而冰自爲得舊藏之卷，今竊疑之。仍觀天元紀大論、五運行論、六微旨論、氣交變論、五常政論、六元正紀論、至真要論七篇，居今素問四卷，篇卷浩大，不與素問前後篇卷等，又且所載之事與素問餘篇略不相通。竊疑此七篇乃陰陽大論之文，王氏取以補所亡之卷，猶周官無冬官以考工記補之之類也。又按漢張仲景傷寒論序云撰用素問九卷、八十一難經、陰陽大論，是素問與陰陽大論兩書甚明，乃王氏并陰陽大論於素問中也。要之陰陽大論亦古醫經，終非素問第七矣。

冀乎究尾明首，尋註會經，開發童蒙，宣揚至理而已其中簡脫文斷義不相接者搜求經論所有遷移以補其處篇目墜缺指事不明者量其意趣加字以昭其義篇論吞并義不相涉闕漏名目者區分事類別目以冠篇首君臣請問禮儀乖失者考校尊卑增益以光其意錯簡碎文前後重疊者詳其指趣削去繁雜以存其要辭理秘密難粗論述者別撰玄珠以陳其道

新校正云詳王氏玄珠世無傳者今有玄珠十卷昭明隱旨三卷蓋後人附託之文也雖非王氏之有亦於素問第十九卷至二十二四卷頗書發明其隱旨三卷與今世所謂天元玉冊者正相表裏而與王冰之義多不同

凡所加字皆朱書其文使今古必分字不雜揉（女救反 雜也）庶厥昭彰聖旨敷暢玄言有如列宿高懸奎張不亂深泉淨瀅（音瑩）鱗介咸分君臣無夭枉之期夷夏有延齡之望俾工徒勿誤學者惟明至道流行徽音累屬千載之後方知大聖之慈惠無窮時大唐寶應元年歲次壬寅序

將仕郎守殿中丞孫兆　重改誤

補註釋文黃帝內經素問總目

是書乃醫家至切至要之文惜乎舊本訛舛漏落有誤學者本堂今求到元豐孫校正家藏善本重加訂正分爲一十二卷以便檢閱衛生君子幸垂意藻鑑

元本二十四卷今併爲一十二卷刊行

補註釋文黃帝内經素問總目畢

新刊補註釋文黄帝内經素問卷之一

啓玄子次註林億孫竒高保衡等奉勑校正

孫兆重改誤

新校正云按王氏不解所以名素問之義及素問之名起於何代按隋書經籍志始有素問之名甲乙經序晉皇甫謐之文已云素問論病精辨王叔和西晉人撰脉經云出素問鍼經漢張仲景撰傷寒卒病論集云撰用素問是則素問之名著於隋志上見於漢代也自仲景已前無文可見莫得而知據今世所存之書則素問之名起漢世也所以名素問之義全元起有説云素者本也問者黄帝問岐伯也方陳性情之源五行之本故曰素問元起雖有此解義未甚明按乾鑿度云夫有形者生於無形故有太易有太初有太始有太素太易者未見氣也太初者氣之始也太始者形

之始也太素者質之始也氣形質具而疴瘵由是萌生故黄帝問此太素質之始也素問之名義或由此

○上古天眞論篇第一

新校正按全元起註本在第九卷王氏次篇第移冠篇首今註逐篇必具全元起本之卷第皆欲存素問舊第目見今之篇次皆王氏之所移也

昔在黄帝生而神靈弱而能言幼而徇齊長而敦敏成而登天

有熊國君少典之子姓公孫徇疾也敦信也敏達也習用干戈以征不享平定天下殄滅蚩尤以土德王都軒轅之丘故號之曰軒轅黄帝後鑄鼎於鼎湖山鼎成而白日升天群臣葬衣冠於橋山墓今猶在徇徐閏反

迺問於天師曰余聞上古之人春秋皆度百歲而動作不衰今時之人年半百而動作皆衰者時世異耶人將失之耶

天師岐伯也

岐伯對曰上古之人其知道者法於陰陽和於術數

上古謂玄古也知道謂知修養之道也夫陰陽者天地之常道術數者保生之大倫故修養者必謹先之老子曰萬物負陰而抱陽冲氣以爲和四氣調神大論曰陰陽四時者萬物之終始死生之本逆之則災害生從之則苛疾不起是謂得道此之謂也

食飲有節起居有常不妄作勞

食飲者充虛之滋味起居者動止之綱紀故修養者謹而行之痺論曰飲食自倍腸胃乃傷生氣通天論曰起居如驚神氣乃浮是惡妄動也廣成子曰必靜必清無勞汝形無搖汝精乃可以長生故聖人先之也○新校正云按全元起註本云飲食有常節起居有常度不妄不作太素同楊上善云以理而取聲色芳味不妄視聽也循理而動不爲分外之事痺必至反

故能形與神俱而盡終其天年度百歲乃去

形與神俱同臻壽分謹於修養以奉天真故盡得終其天年去謂去離於形骸也靈樞經曰人百歲五藏皆虛神氣皆去形骸獨居而終矣以其知道故年長壽延年度百歲謂至一百二十歲也尚書洪範曰一曰壽百二十歲也

今時之人不然也

動之死地離於道也

以酒爲漿

弱於飲也

以妄爲常

寡於信也

醉以入房

過於色也

以欲竭其精以耗散其眞

樂色曰欲輕用曰耗樂色不節則精竭輕用不止則眞散是以聖人愛精重施髓滿骨堅老子曰弱其志强其骨河上公曰有欲者亡身曲禮曰欲不可縱○新校正云按甲乙經

耗作好

不知持滿不時御神

言輕用而縱欲也老子曰持而盈之不如其已言愛精保神如持盈滿之器不慎而動則傾竭天真眞誥曰常不能慎事自致百痾豈可怨咎於神明乎此之謂也○新校正云按別本時作解

務快其心逆於生樂

快於心欲之用則逆養生之樂矣老子曰甚愛必大費此之類歟夫甚愛而不能救議道而以爲未然者伐生之大患也

起居無節故半百而衰也

亦耗散而致是也夫道者不可斯須離於道則壽不能終盡於天年矣老子曰物壯則老

謂之不道不道早亡此之謂離道也

夫上古聖人之教下也皆謂之虛邪賊風避之有時

邪乘虛入是謂虛邪竊害中和謂之賊風避之有時謂八節之日及太一入從之於中宮朝八風之日也靈樞經曰邪氣不得其虛不能獨傷人謂人虛乃邪勝之也○新校正云按全元起註本云上古聖人之教也下皆爲之太素千金同楊上善云上古聖人使人行者身先行之爲不言之教不言之教勝有言之教故下百姓倣行者衆故曰下皆爲之太一入從於中宮朝八風一義具天元玉册中

恬惔虛無眞氣從之精神內守病安從來

恬惔虛無靜也法道淸靜精氣內持故其虛邪不能爲害【恬】蹄廉反【惔】音談

是以志閑而少欲心安而不懼形勞而不倦內機息故少欲外紛靜故心安然情欲兩亡是非一貫起居皆適故不倦也

氣從以順各從其欲皆得所願志不貪故所欲皆順心易足故所願必從以不異求故無難得也老子曰知足不辱知止不殆可以長久

故美其食順精麤也○新校正云按別本美一作甘

任其服隨美惡也

樂其俗

去傾慕也

高下不相慕其民故曰朴

至無求也是所謂心足也老子曰禍莫大於不知足咎莫大於欲得故知足之足常足矣蓋非謂物足者爲知足心足者乃爲知足矣不恣於欲是則朴同故聖人云我無欲而民自朴○新校正云按別本曰作日

是以嗜欲不能勞其目淫邪不能惑其心

目不妄視故嗜欲不能勞心與玄同故淫邪不能惑老子曰不見可欲使心不亂又曰聖人爲腹不爲目

愚智賢不肖不懼於物故合於道

情計兩亡不爲謀府冥心一觀勝負俱捐故心志保安合同於道庚桑楚曰全汝形抱汝

生無使汝思慮營營○新校正云按全元起註本云合於道數

所以能年皆度百歲而動作不衰者以其德全不危也

不涉於危故德全也莊子曰執道者德全德全者形全形全者聖人之道也又曰無爲而性命不全者未之有也

帝曰人年老而無子者材力盡耶將天數然也

材謂材幹可以立身者

岐伯曰女子七歲腎氣盛齒更髮長

老陽之數極於九少陽之數次於七女子爲少陰之氣故以少陽數偶之明陰陽氣和乃能生成其形體故七歲腎氣盛齒更髮長〔更〕古行反下齒更同

二七而天癸至任脉通大衝脉盛月事以時下故有子

癸謂壬癸北方水干名也任脉衝脉皆奇經脉也腎氣全盛衝任流通經血漸盈應時而下天真之氣降與之從事故云天癸也然衝爲血海任主胞胎二者相資故能有子所以謂之月事者平和之氣常以三旬而一見也故愆期者謂之有病○新校正云按全元起註本及太素甲乙經俱作伏衝下大衝同注如林文

三七腎氣平均故真牙生而長極

真牙謂牙之最後生者腎氣平而真牙生者表牙齒爲骨之餘也

四七筋骨堅髮長極身體盛壯

女子天癸之數七七而終年居四七材力之半故身體盛壯長極於斯

五七陽明脉衰面始焦髮始墮

陽明之脉氣營於面故其衰也髮墮面焦靈樞經曰足陽明之脉起於鼻交頞中下循鼻外入上齒中還出俠口環脣下交承漿却循頤後下廉出大迎循頰車上耳前過客主人循髮際至額顱手陽明之脉上頸貫頰入下齒縫中還出俠口故面焦髮墮也頞於葛反頰胡荚反下同顱落胡反

六七三陽脉衰於上面皆焦髮始白

三陽之脉盡上於頭故三陽衰則面皆焦髮始白所以衰者婦人之生也有餘於氣不足於血以其經月數泄脫之故

七七任脉虛大衝脉衰少天癸竭地道不通故形壞而無子也

經水絕止是爲地道不通衝任衰微故云形壞無子

丈夫八歲腎氣實髮長齒更

老陰之數極於十少陰之數次於八男子爲少陽之氣故以少陰數合之易繫辭曰天九地十則其數也

二八腎氣盛天癸至精氣溢寫陰陽和故能有子

男女有陰陽之質不同天癸則精血之形亦異陰靜海滿而去血陽動應合而泄精二者通和故能有子易繫辭曰男女構精萬物化生此之謂也

三八腎氣平均筋骨勁強故眞牙生而長極

以其好用故爾

四八筋骨隆盛肌肉滿壯

文夫天癸八八而終年居四八亦材之半也

五八腎氣衰髮墮齒槁

腎主於骨齒爲骨餘腎氣既衰精無所養故令髮墮齒復乾枯

六八陽氣衰竭於上面焦髮鬢頒白

陽氣亦陽明之氣也靈樞經曰足陽明之脉起於鼻交頞中下循鼻外入上齒中還出俠口環脣下交承漿却循頤後下廉出大迎循頰車上耳前過客主人循髮際至額顱故衰於上則面焦髮鬢白也

七八肝氣衰筋不能動天癸竭精少腎藏衰形體皆極

肝氣養筋肝衰故筋不能動腎氣養骨腎衰故形體疲極天癸已竭故精少也匪惟材力衰謝固當天數使然

八八則齒髮去

陽氣竭精氣衰故齒髮不堅離形骸矣去落也

腎者主水受五藏六府之精而藏之故五藏盛乃能寫

五藏六府精氣淫溢而滲灌於腎腎藏乃受而藏之何以明之靈樞經曰五藏主藏精藏精者不可傷傷由是則五藏各有精隨用而灌注於腎此乃腎爲都會關司之所非腎一藏而獨有精故曰五藏盛乃能寫也

今五藏皆衰筋骨解墮天癸盡矣故髮鬢白身

體重行步不正而無子耳

所謂物壯則老謂之天道者也

帝曰有其年已老而有子者何也

言似非天癸之數也

岐伯曰此其天壽過度氣脉常通而腎氣有餘也

所禀天真之氣本自有餘也

此雖有子男不過盡八八女不過盡七七而天地之精氣皆竭矣

雖老而生子子壽亦不能過天癸之數

帝曰夫道者年皆百數能有子乎岐伯曰夫道者能却老而全形身年雖壽能生子也

是所謂得道之人也道成之證如下章云

黃帝曰余聞上古有眞人者提挈天地把握陰陽

眞人謂成道之人也夫眞人之身隱見莫測其爲小也入於無間其爲大也徧於空境其變化也出入天地內外莫見迹順至眞以表道成之證凡如此者故能提挈天地把握陰陽也

呼吸精氣獨立守神肌肉若一

眞人心合於氣氣合於神神合於無故呼吸精氣獨立守神肌膚若冰雪綽約如處子○

新校正云按全元起註本云身肌宗一太素同楊上善云真人身之肌體與太極同質故云宗一

故能壽敝天地無有終時

體同於道壽與道同故能無有終時而壽盡天地也○敝皮祭反盡也

此其道生

惟至道生乃能如是

中古之時有至人者淳德全道

全其至道故曰至人然至人以此淳朴之德全彼妙用之道○新校正云詳楊上善云積精全神能至於德故稱至人也

和於陰陽調於四時

和謂同和調謂調適言至人動静心適中於四時生長收藏之令參同於陰陽寒暑升降之宜

去世離俗積精全神

心遠世紛身離俗染故能積精而復全神

游行天地之間視聽八遠之外

神全故也庚桑楚曰神全之人不慮而通不謀而當精照無外志凝宇宙若天地然又曰體合於心心合於氣氣合於神神合於無其有介然之有唯然之音雖遠際八荒之外近在眉睫之内來干我者吾必盡知之夫如是者神全故所以能矣聽音接

此盖益其壽命而強者也亦歸於眞人

同歸於道也

其次有聖人者處天地之和從八風之理

與天地合德與日月合明與四時合其序與鬼神合其吉凶故曰聖人所以處天地之淳和順八風之正理者欲其養正避彼虛邪

適嗜欲於世俗之間無恚嗔之心

聖人志深於道故適於嗜欲心全廣愛故不有恚嗔是以常德不離歿身不殆恚於桂反

新校正云詳被服章三字疑衍此三字上下文不屬

行不欲離於世被服章

舉不欲觀於俗

聖人舉事行止雖常在時俗之間然其見爲則與時俗有異爾何者貴法道之清靜也老子曰我獨異於人而貴求食於毋毋亦諭道也

外不勞形於事內無思想之患

聖人爲無爲事無事是以內無思想外不勞形

以恬愉爲務以自得爲功

恬靜也愉悦也法道清靜適性而動故悦而自得也

形體不敝精神不散亦可以百數

外不勞形內無思慮故形體不敝精神保全神守不離故年登百數此皆全性之所致爾庚桑楚曰聖人之於聲色滋味也利於性則取之害於性則捐之此全性之道也敝疲敝也

其次有賢人者法則天地象似日月

次聖人者謂之賢人然自強不息精了百端不慮而通發謀必當志同於天地心燭於洞

幽故云法則天
地象似日月也

辯列星辰逆從陰陽分別四時

星衆星也辰北辰也辯列者謂定內外星官座位之所於天三百六十五度遠近之分次也逆從陰陽者謂以六甲等法順逆數而推步吉凶之徵兆也陰陽書曰人中甲子從甲子起以乙丑爲次順數之地下甲子從甲戌起以癸酉爲次逆數之比之謂逆從也分別四時者謂分其氣序也春溫夏暑熱秋清凉冬冰冽此四時之氣序也

將從上古合同於道亦可使益壽而有極時

將從上古合同於道謂如上古知道之人法於陰陽和於術數食飲有節起居有常不妄作勞也上古知道之人年度百歲而去故可使益壽而有極時也

○四氣調神大論篇第二

新校正云按全元
起本在第九卷

春三月此謂發陳

春陽上升氣潛發能生育庶物陳其姿容故
曰發陳也謂春三月者皆因節候而命之夏
秋冬
亦然

天地俱生萬物以榮

天氣温地氣發温發
相合故萬物滋榮

夜卧早起廣步於庭

温氣生寒氣散故夜
卧早起廣步於庭

被髮緩形以使志生

法象也春氣發生於萬物之首
故被髮緩形以使志意發生也

生而勿殺予而勿奪賞而勿罰

春氣發生施無求報故養生者必順於時也〔予〕音與

此春氣之應養生之道也

所謂因時之序也然立春之節初五日東風解凍次五日蟄虫始振後五日魚上冰次雨水氣初五日獺祭魚次五日鴻鴈來後五日草木萌動次仲春驚蟄之節初五日小桃華○新校正云詳小桃華月令作桃始華○次五日倉庚鳴後五日鷹化為鳩次春分氣初五日玄鳥至次五日雷乃發聲芍藥榮後五日始電次季春清明之節初五日桐始華次五日田鼠化為鴽牡丹華後五日虹始見次穀雨氣初五日萍始生次五日鳴鳩拂其羽後五日戴勝降于桑凡此六氣一十八候皆春陽布發生之令故養生者必謹奉天時也○新校正云詳芍藥榮牡丹華今月令無〔獺〕他達反〔鴽〕音如鶉也

逆之則傷肝夏爲寒變奉長者少

逆謂反行秋令也肝象木王於春故行秋令則肝氣傷夏火王而木廢故病生於夏然四時之氣春生夏長逆春傷肝故少氣以奉於夏長之令也

夏三月此謂蕃秀

陽自春生至夏洪盛物生以長故蕃秀也蕃茂也盛也秀華也美也

天地氣交萬物華實

舉夏至也脉要精微論曰夏至四十五日陰氣微上陽氣微下由是則天地氣交也然陽氣施化陰氣結成成化相合故萬物華實也陰陽應象大論曰陽化氣陰成形

夜卧早起無厭於日使志無怒使華英成秀使氣得泄若所愛在外

緩陽氣則物化寬志意則氣泄物化則華英成秀氣泄則膚腠宣通時令發陽故所愛亦順陽而在外也

此夏氣之應養長之道也

立夏之節初五日螻蟈鳴次五日蚯蚓出後五日赤箭生〇新校正按月令作王瓜生次小滿氣初五日吳葵華〇新校正按月令作苦菜秀次五日靡草死後五日小暑至次仲夏芒種之節初五日螗蜋生次五日鵙始鳴後五日反舌無聲次夏至氣初五日鹿角解次五日蜩始鳴後五日半夏生木菫榮次季夏小暑之節初五日温風至次五日蟋蟀居壁後五日鷹乃學習次大暑氣初五日腐草化爲螢次五日土潤溽暑後五日大雨時行九此六氣一十八候皆夏氣揚蕃秀之令故養生者必敬順天時也〇新校正云詳木菫榮今月令無

鵙古闃反搏勞鳥

逆之則傷心秋爲痎瘧奉收者少冬至重病逆謂反行冬令也痎痎瘦之瘧也心象火王於夏故行冬令則心氣傷秋金王而火廢故病發於秋而爲痎瘧也然四時之氣秋收冬藏逆夏傷心故少氣以奉於秋收之令也冬水勝火故重病於冬至之時也痎音皆

秋三月此謂容平萬物夏長華實已成容狀至秋平而定也

天氣以急地氣以明天氣已急風聲切也地氣以明物色變也

早臥早起與雞俱興懼中寒露故早臥欲使安寧故早起

使志安寧以緩秋刑

志氣躁則不慎其動不慎其動則助秋刑急順殺伐生故使志安寧緩秋刑也

收斂神氣使秋氣平

神蕩則欲熾欲熾則傷和氣和氣既傷則秋氣不平調也故收斂神氣使秋氣平也

無外其志使肺氣清

亦順秋氣之收斂也

此秋氣之應養收之道也

立秋之節初五日涼風至次五日白露降後五日寒蟬鳴次處暑氣初五日鷹乃祭鳥次五日天地始肅後五日禾乃登次仲秋白露之節初五日盲風至鴻鴈來次五日玄鳥歸後五日群鳥養羞次秋分氣初五日雷乃收聲次五日蟄虫坯户景天華後五日水始涸

次季秋寒露之節初五日鴻鴈來賓次五日雀入大水爲蛤後五日菊有黄華次霜降氣初五日豺乃祭獸次五日草木黄落後五日蟄虫咸俯凡此六氣一十八候皆秋氣正收斂之令故養生者必謹奉天時也○新校正云詳景天華三字今月令無[illegible]步曲反

逆之則傷肺冬爲飧泄奉藏者少

逆謂反行夏令也肺象金王於秋故行夏令則氣傷冬水王而金廢故病發於冬飧泄者食不化而泄出也逆秋傷肺故少氣以奉於冬藏之令也飧音孫

冬三月此謂閉藏

草木凋蟄虫俯地户閉塞陽氣伏藏

水冰地坼無擾乎陽

陽氣下沉水冰地坼故宜周密不欲煩勞擾謂煩也勞謂勞也

早卧晚起必待日光避於寒也

使志若伏若匪今詳匪字當作匿

若有私意若已有得皆謂不欲妄出於外觸冒寒氣也故下文云

去寒就溫無泄皮膚使氣亟奪去寒就溫言居深室也靈樞經曰冬日在骨蟄虫周密君子居室無泄皮膚謂勿汗也汗則陽氣發泄陽氣發泄則數爲寒氣所迫奪之亟數也亟去吏反

此冬氣之應養藏之道也

立冬之節初五日水始冰次五日地始凍後五日雉入大水爲蜃次小雪氣初五日虹藏不見次五日天氣上騰地氣下降後五日閉塞而成冬次仲冬大雪之節初五日冰益壯地始坼鶡鳥不鳴次五日虎始交後五日芸始生荔挺出次冬至氣初五日蚯蚓結次五日麋角解後五日水泉動次季冬小寒之節初五日鴈北鄉次五日鷙鳥厲疾後五日水澤腹堅凡此六氣一十八候皆冬氣正養藏之令故養生者必謹奉天時也荔音利挺大頂反鄉音向

逆之則傷腎春爲痿厥奉生者少

逆謂反行夏令也腎象水王於冬故行夏令則腎氣傷春木王而水廢故病發於春也逆冬傷腎故少氣以奉於春生之令也

天氣清靜光明者也

言天明不竭以清靜故致之人壽延長亦由順動而得故言天氣以示於人也

藏德不止

新校正云按别本止一作上

故不下也

四時成序七曜周行天不形言是藏德也德隱則應用不屈故不下也老子曰上德不德是以有德也言天至尊高德猶見隱也况全生之道而不順天乎

天明則日月不明邪害空竅

天所以藏德者為其欲隱大明故大明見則小明滅故大明之德不可不藏天若自明則日月之明隱矣所諭者何言人之真氣亦不可泄露當清淨法道以保天真苟離於道則虛邪入於空竅空音孔

陽氣者閉塞地氣者冒明

陽謂天氣亦風熱也地氣謂濕亦雲霧也風熱之害人則九竅閉塞霧濕之爲病則掩翳精明取類者在天則日月不光在人則兩目藏曜也靈樞經曰天有日月人有眼目易曰喪明于易豈非失養生之道耶

雲霧不精則上應白露不下

霧者雲之類露者雨之類夫陽盛則地不上應陰虛則天不下交故雲霧不化精微之氣上應於天而爲白露不下之外矣陰陽應象大論曰地氣上爲雲天氣下爲雨雨出地氣雲出天氣明二氣交合乃成雨露方盛衰論曰至陰虛天氣絶至陽盛地氣不足明氣不相召亦不能交合也

交通不表萬物命故不施不施則名木多死

夫雲霧不化其精微雨露不霑於原澤是爲天氣不降地氣不騰變化之道既虧生育之源斯泯故萬物之命無稟而生然其死者則名木先應故云名木多死也名謂名果珍木表謂表陳其狀也易繫辭曰天地絪緼萬物化醇然不表交通則爲否也易曰天地不交否【否】部鄙反

惡氣不發風雨不節白露不下則菀槀不榮

惡謂害氣也發謂發散也節謂節度也菀謂蘊積也槀謂枯槀也言害氣伏藏而不散發風雨無度折傷復多槀物蘊積春不榮也豈惟其物獨遇是而有之哉人離於道亦有之矣故下文曰【菀】於遠反【槀】音槁【蘊】音尹

賊風數至暴雨數起天地四時不相保與道相失則未央絕滅

不順四時之和數犯八風之害與道相失則天眞之氣未期久遠而致滅亡央久也遠也

唯聖人從之故身無奇病萬物不失生氣不竭

道非遠於人人心遠於道惟聖人心合於道故壽命無窮從猶順也謂順四時之令也然四時之令不可逆之逆之則五藏內傷而他疾起

逆春氣則少陽不生肝氣內變

生謂動出也陽氣不出內鬱於肝則肝氣混糅變而傷矣

逆夏氣則太陽不長心氣內洞

長謂外茂也洞謂中空也陽不外茂內薄於心燠熱內消故心中空也燠音欲

逆秋氣則太陰不收肺氣焦滿

收謂收歛焦謂上焦也太陰行氣主化上焦故肺氣不收上焦滿也○新校正云按焦滿

全元起本作進滿
甲乙太素作焦滿

逆冬氣則少陰不藏腎氣獨沉

沉謂沉伏也少陰之氣內通於腎故少陰不伏腎氣獨沉○新校正云詳獨沉太素作沉濁

夫四時陰陽者萬物之根本也

時序運行陰陽變化天地合氣生育萬物故萬物之根悉歸於此

所以聖人春夏養陽秋冬養陰以從其根

陽氣根於陰陰氣根於陽無陰則陽無以生無陽則陰無以化全陰則陽氣不極全陽則陰氣不窮春食涼夏食寒以養於陽秋食溫冬食熱以養於陰滋苗者必固其根伐下者必枯其上故以斯調節從順其根二氣常存蓋由根固百刻曉暮食亦宜然

故與萬物沉浮於生長之門

聖人所以身無奇病生氣不竭者以順其根也

逆其根則伐其本壞其眞矣

是則失四時陰陽之道也

故陰陽四時者萬物之終始也死生之本也逆之則災害生從之則苛疾不起是謂得道

謂得養生之道苛者重也

道者聖人行之愚者佩之

聖人心合於道故勤而行之愚者性守於迷故佩服而已老子曰道者同於道德者同於德失者同於失同於道者道亦得之同於德者德亦得之同於失者失亦得之愚者未同

於道德則可謂失道者也

從陰陽則生逆之則死從之則治逆之則亂反順爲逆是謂内格格拒也謂内性格拒於天道也

是故聖人不治已病治未病不治已亂治未亂此之謂也知之至也

夫病已成而後藥之亂已成而後治之譬猶渴而穿井鬬而鑄兵不亦晚乎知不及時也備禦虛邪事符握虎噬而後藥雖悔何爲

○生氣通天論篇第三

新校正云按全元起註本在第四卷

黃帝曰夫自古通天者生之本本於陰陽天地之間六合之內其氣九州九竅五藏十二節皆通乎天氣

六合謂四方上下也九州謂兾兖青徐揚荊豫梁雍也外布九州而內應九竅故云九州九竅也五藏謂五神藏也五神藏者肝藏魂心藏神脾藏意肺藏魄腎藏志而此成形矣十二節者十二氣也天之十二節氣人之十二經脈而外應之咸同天紀故云皆通乎天氣也十二經脈者謂手三陰三陽足三陰三陽也○新校正云詳通天者生之本六節藏象註甚詳又按鄭康成云九竅者謂陽竅七陰竅二也

其生五其氣三數犯此者則邪氣傷人此壽命之本也

言人生之昕運爲則内依五氣以立然其鎮塞天地之内則氣應三元以成三三謂天氣地氣運氣也犯謂邪氣觸犯於生氣也邪氣數犯則生氣傾危故寶養天真以爲壽命之本也庚桑楚曰聖人之制萬物也以全其天天全則神全矣靈樞經曰血氣者人之神不可不謹養此之謂也

蒼天之氣清淨則志意治順之則陽氣固

春爲蒼天發生之主也陽氣者天氣也陰陽應象大論曰清陽爲天則其義也本天全神全之理全則形亦全矣

雖有賊邪弗能害也此因時之序

以因天四時之氣序故賊邪之氣不能害也

故聖人傳精神服天氣而通神明

夫精神可傳惟聖人得道者乃能爾久服天真之氣則妙用自通於神明也

失之則內閉九竅外壅肌肉衛氣散解

失謂逆蒼天清淨之理也然衛氣者合天之陽氣也上篇曰陽氣者閉塞謂陽氣之病人則竅寫閉塞也靈樞經曰衛氣者所以溫分肉而充皮膚肥腠理而司開闔故失其度則內閉九竅外壅肌肉以衛不營運故言散解也[illegible]上聲

此謂自傷氣之削也

夫逆蒼天之氣違清靜之理使正眞之氣如削去之者非天降之人自爲之爾

陽氣者若天與日失其所則折壽而不彰

此明前陽氣之用也諭人之有陽若天之有日天失其所則日不明人失其所則陽不固日不明則天境瞑昧陽不固則人壽夭折

故天運當以日光明

言人之生固宜藉其陽氣也

是故陽因而上衛外者也

此所以明陽氣運行之部分輔衛人身之正用也

因於寒欲如運樞起居如驚神氣乃浮

欲如運樞謂內動也起居如驚謂暴卒也言因天之寒當深居周密如樞紐之內動不當煩擾筋骨使陽氣發泄於皮膚而傷於寒毒也若起居暴卒馳騁荒佚則神氣浮越無所綏寧矣脉要精微論曰冬日在骨蟄虫周密君子居室四氣調神大論曰冬三月此謂閉

癃水冰地坼無擾乎陽又曰使志若伏若匿若有私意若已有得去寒就溫無泄皮膚使氣亟奪此之謂也○新校正云按全元起本作連樞元起云陽氣定如連樞者動繫也〔卒〕倉沒反〔佚〕音逸

因於暑汗煩則喘喝靜則多言

此則不能靜慎傷於寒毒至夏而變暑病也煩謂煩躁靜謂安靜喝謂大呵出聲也言病因於暑則當汗泄不爲發表邪熱內攻中外俱熱故煩躁喘數大呵而出其聲也若不煩躁內熱外凉瘀熱攻中故多言而不次也喝一爲嗚〔躁〕則到反〔喝〕呼葛反〔瘀〕依倨反

體若燔炭汗出而散

此重明可汗之理也然體若燔炭之炎熱者何以救之必以汗出乃熱氣施散燔一爲燥非也

因於濕首如裹濕熱不攘大筋緛短小筋弛長緛短爲拘弛長爲痿

表熱爲病當汗泄之反濕其首若濕物裹之望除其熱熱氣不釋兼濕濕内攻大筋受熱則縮而短小筋得濕則引而長縮短故拘攣而不伸引長故痿弱而無力弛引也攘汝陽反除也緛音軟縮也痿於危反弱也

因於氣爲腫四維相代陽氣乃竭

素常氣疾濕熱加之氣濕熱爭故爲腫也然邪氣漸盛正氣浸微筋骨血肉互相代負故云四維相代也致邪代正氣不宣通衛無所從便至衰竭故言陽氣乃竭也衛者陽氣也

陽氣者煩勞則張精絕辟積於夏使人煎厥

此又誡起居暴卒煩擾陽和也然煩擾陽和勞疲筋骨動傷神氣耗竭天真則筋脉瞋脹

精氣竭絕既傷腎氣又損膀胱故當於夏時使人煎厥以煎迫而氣逆因以煎厥爲名厥謂氣逆也煎厥之狀當如下說○新校正云按脉解云所謂少氣善怒者陽氣不治陽氣不治則陽氣不得出肝氣當治而未得故善怒善怒者名曰煎厥

目盲不可以視耳閉不可以聽潰潰乎若壞都汩汩乎不可止

既且傷腎又竭膀胱腎經內屬於耳中膀胱脉生於目皆故目盲所視耳閉厥聽大矣哉斯乃房之患也既盲目視又閉耳聰則志意心神筋骨腸胃潰潰乎若壞汩汩乎煩悶而不可止也○汩古沒反眥在計反又前計反

陽氣者大怒則形氣絕而血菀於上使人薄厥

此又誡喜怒不節過用病生也然怒則傷腎甚則氣絕大怒則氣逆而陽不下行陽逆故

血積於心胸之內矣上謂心胸也然陰陽相薄氣血奔并因薄厥生故名薄厥舉痛論曰怒則氣逆甚則嘔血靈樞經曰盛怒而不止則傷志陰陽應象大論曰喜怒傷氣由此則怒甚氣逆血積於心胸之內矣菀積也并去聲

有傷於筋縱其若不容

怒而過用氣或迫筋筋絡內傷機關縱緩形容痿廢若不維持

汗出偏沮使人偏枯

夫人之身常偏汗出而潤濕者久久偏枯半身不隨○新校正云按沮千金作祖全元起本作恒〔沮〕子魚反潤也

汗出見濕乃生痤疿

陽氣發泄寒水制之熱怫內餘鬱於皮裏甚為痤癤微作疿瘡疿風癮也〔痤〕作和反〔疿〕方

味反[佛]
符弗反

高梁之變足生大丁受如持虛

高膏也梁粱也不忍之人汗出淋洗則結爲痤疿膏粱之人内多滯熱皮厚肉密故内變爲丁矣外濕既侵中熱相感如持虛器受此邪毒故曰受如持虛所以丁生於足者四支爲諸陽之本也以其甚費於下邪毒襲虛故爾○新校正云按丁生之處不常於足蓋謂膏粱之變饒生大丁非偏著足也

勞汗當風寒薄爲皶鬱乃痤

時月寒凉形勞汗發淒風外薄膚腠居寒脂液遂凝稸於玄府依空滲涸皶刺長於皮中形如米或如鍼久者上黑長分餘色白黃而瘦於玄府中俗曰粉刺解表已玄府謂汗空也痤謂色赤䐜憤内蘊血膿形小而大如酸棗或如按豆此皆陽氣内鬱所爲待耎攻之

大甚熇出之【皷】纖加反【熇】許竹反【瘛】尺制反【瘲】而劣反

陽氣者精則養神柔則養筋

此又明陽氣之運養也然陽氣者內化精微養於神氣外爲柔耎以固於筋動靜失宜則生諸疾

開闔不得寒氣從之乃生大僂

開謂皮膚發泄闔謂玄府閉封然開闔失宜爲寒所襲內深筋絡結固虛寒則筋絡拘緛形容僂俯矣靈樞經曰寒則筋急此其類也【僂】力主反

陷脈爲瘻留連肉腠

陷脈謂寒氣陷缺其脈也積寒留舍經血稽凝久瘀內攻結於肉理故發爲瘍瘻肉腠相連【瘻】力鬬反癰瘻

俞氣化薄傳爲善畏及爲驚駭

言若寒中於背俞之氣變化入深而薄於藏府者則善爲恐畏及發爲驚駭也【[illegible]】音庶

營氣不從逆於肉理乃生癰腫

營逆則血鬱血鬱則熱熱聚爲膿故爲癰腫也正理論云熱之所過則爲癰腫

魄汗未盡形弱而氣爍穴俞以閉發爲風瘧

汗出未止形弱氣消風寒薄之穴俞隨閉熱藏不出以至於秋秋陽復收兩熱相合故令振慄寒熱相移以所起爲風故名風瘧也金匱眞言論曰夏暑汗不出者秋成風瘧蓋論從風而爲是也故下文曰

故風者百病之始也清靜則肉腠閉拒雖有大風苛毒弗之能害此因時之序也

夫嗜欲不能勞其目淫邪不能惑其心不妄作勞是爲清静以其清静故能肉腠閉皮膚密真正內拒虛邪不侵然大風苛毒不必常求於人蓋由人之冒犯爾故清静則肉腠閉陽氣拒大風苛毒弗能害之清静者謂因循四時氣序養生調節之宜不妄作勞起居有度則生氣不竭永保康寧

故病久則傳化上下不并良醫弗爲

并謂氣交通也然病之深久變化相傳上下不通陰陽否隔雖醫良法妙亦何以爲之陰陽應象大論曰夫善用鍼者從陰引陽從陽引陰以右治左以左治右若是氣相格拒故良醫不可爲也否塞也

故陽蓄積病死而陽氣當隔隔者當寫不亟正治粗乃敗之

言三陽蓄積怫結不通不急寫之亦病而死何者蓄積不已亦上下不并矣何以驗之隔塞不便則其證也若不急寫粗工輕侮必見敗亡也陰陽別論曰三陽結謂之隔又曰剛與剛陽氣破散陰氣乃消亡淖則剛柔不和經氣乃絕【淖】奴教反下並同

故陽氣者一日而主外

晝則陽氣在外周身行二十五度靈樞經曰日開則氣上行於頭衛氣行於陽二十五度也

平旦人氣生日中而陽氣隆日西而陽氣已虛氣門乃閉

隆猶高也盛也夫氣之有者皆自少而之壯積暖以成炎炎極又涼物之理也故陽氣平曉生日中盛日西而已減虛也氣門謂玄府也所以發泄經脉營衛之氣故謂之氣門也

是故暮而收拒無擾筋骨無見霧露反此三時形乃困薄

皆所以順陽氣也陽出則出陽藏則藏暮陽氣衰內行陰分故宜收斂以拒虛邪擾筋骨則逆陽精耗見霧露則寒濕具侵故順此三時乃天真久遠也

岐伯曰

新校正云詳篇首云帝曰此岐伯曰非相對問也

陰者藏精而起亟也陽者衛外而爲固也

言在人之用也亟數也

陰不勝其陽則脈流薄疾并乃狂

薄疾謂極虛而急數也并謂盛實也狂謂狂走或妄攀登也陽并於四支則王陽明脈解

曰四支者諸陽之本也陽盛則四支實實則能登高而歌熱盛於身故棄衣欲走也夫如是者皆爲陰不勝其陽也

陽不勝其陰則五藏氣爭九竅不通

九竅者內屬於藏外設爲官故五藏氣爭則九竅不通也言九竅謂前陰後陰不通無言上七竅也若氣則目爲肝之官鼻爲肺之官口爲脾之官耳爲腎之官舌爲心之官舌非通竅也金匱眞言論曰南方赤色入通於心開竅於耳北方黑色入通於腎開竅於二陰故也

是以聖人陳陰陽筋脉和同骨髓堅固氣血皆從

從順也言循陰陽法近養生道則筋脉骨髓各得其宜故氣血皆能順時和氣也

如是則内外調和邪不能害耳目聰明氣立如故

邪氣不剋故眞氣獨立而如常若失聖人之道則致疾於身故下文引曰

風客淫氣精乃亡邪傷肝也

自此已下四科並謂失聖人之道也風氣應肝故風淫精亡則傷肝也陰陽應象大論曰風氣通於肝也風薄則熱起熱風則水乾水乾則腎氣不營故精乃無也亡無也○新校正云按全元起云淫氣者陰陽之亂氣因其相亂而風客之則傷精傷精則邪入於肝也

因而飽食筋脉横解腸澼爲痔

甚飽則腸胃横滿腸胃滿則筋脉解而不屬故腸澼而爲痔也痺論曰飲食自倍腸胃乃傷此傷之信也澼普擊反

因而大飲則氣逆

飲多則肺布葉舉故氣逆而上奔也

因而強力腎氣乃傷高骨乃壞

強力謂強力入房也高骨謂腰高之骨也然強力入房則精耗精耗則腎傷腎傷則髓氣內枯故高骨壞而不用也聖人交會則不如此當如下句云

凡陰陽之要陽密乃固

陰陽交會之要者正在於陽氣閉密而不泄爾密不妄泄乃生氣強固而能久長此聖人之道也

兩者不和若春無秋若冬無夏

兩謂陰陽和謂和合則交會也若如也言絕陰陽和合之道者如天四時有春無秋有冬

無夏也所以然者絶廢於生成也故聖人不絶和合之道但貴於閉密以守固天真法也

因而和之是謂聖度

因陽氣盛發中外相應賈勇有餘乃相交合則聖人交會之制度也

故陽強不能密陰氣乃絶

陽自強而不能閉密則陰泄寫而精氣竭絶矣

陰平陽秘精神乃治

陰氣和平陽氣閉密則精神之用日益治也

陰陽離決精氣乃絶

若陰不和平陽不閉密強用施寫損耗天眞二氣分離經絡決憊則精氣不化乃絶流逆也

因於露風乃生寒熱

因於露體觸冒風邪風氣外侵陽氣內拒風陽相薄故寒熱生

是以春傷於風邪氣留連乃爲洞泄

風氣通肝春肝木王木勝脾土故洞泄生也○新校正云按陰陽應象大論曰春傷於風夏生飧泄

夏傷於暑秋爲痎瘧

夏熱已甚秋陽復收陽熱相攻則爲痎瘧痎老也亦曰瘦也

秋傷於濕上逆而欬

濕謂地濕氣也秋濕既勝冬水復王水來乘肺故欬逆病生○新校正按陰陽應象大論云秋傷於濕冬生欬嗽

發爲痿厥濕氣内攻於藏府則欬逆外散於筋脉則痿弱也陰陽應象大論曰地之濕氣感則害皮肉筋脉故濕氣之資發爲痿厥厥謂逆氣也

冬傷於寒春必温病冬寒且凝春陽氣發寒不爲釋陽怫于中寒怫相持故爲温病○新校正云按此與陰陽應象大論重彼註甚詳

四時之氣更傷五藏寒暑温凉遞相勝負故四時之氣更傷五藏之和也

陰之所生本在五味陰之五宮傷在五味所謂陰者五神藏也宮者五神之舍也言五神所生本資於五味五味宣化各湊於本宮

雖因五味以生亦因五味以損正爲好而過過節乃見傷也故下文曰

是故味過於酸肝氣以津脾氣乃絶

酸多食之令人癃小便不利則肝多津液津液內溢則肝葉舉肝葉舉則脾經之氣絶而不行何者木制土也

味過於鹹大骨氣勞短肌心氣抑

鹹多食之令人肌膚縮短又令心氣抑滯而不行何者鹹走血也大骨氣勞鹹歸腎也

味過於甘心氣喘滿色黑腎氣不衡

甘多食之令人心悶甘性滯緩故令氣喘滿而腎不平何者土抑水也衡平也

味過於苦脾氣不濡胃氣乃厚

苦性堅燥又養脾胃故脾氣不濡胃氣強厚

味過於辛筋脉沮弛精神乃央

沮潤也弛緩也央久也辛性潤澤散養於筋故令筋緩脉潤精神長久何者辛補肝也藏氣法時論曰肝欲散急食辛以散之用辛補之○新校正云按此論味過所傷難作精神長久之解央乃殃也古文通用如膏梁之作髙梁草滋之作草茲之類蓋古文簡略字多假借用者

是故謹和五味骨正筋柔氣血以流腠理以密如是則氣骨以精謹道如法長有天命

是所謂修養天真之至道也

〇金匱真言論篇第四

新校正云按全元起註本在第四卷

黃帝問曰天有八風經有五風何謂經謂經脉所以流通營衛血氣者也岐伯對曰八風發邪以為經風觸五藏邪氣發病原其所起則謂八風發邪經脉受之則循經而觸於五藏以邪干正故發病也所謂得四時之勝者春勝長夏長夏勝冬冬勝夏夏勝秋秋勝春所謂四時之勝也春木夏火長夏土秋金冬水皆以所剋殺而爲勝也言五時之相勝者不謂八風中人則病各謂隨其不勝則發病也勝謂制剋之也東風生於春病在肝俞在頸項

春氣發榮於萬物之上故俞在頸項曆忌曰甲乙不治頸此之謂也

南風生於夏病在心俞在胷脇

心少陰脉循胷出脇故俞在焉

西風生於秋病在肺俞在肩背

肺處上焦背爲胷府肩背相次故俞在焉

北風生於冬病在腎俞在腰股

腰爲腎府股接次之以氣相連故兼言也

中央爲土病在脾俞在脊

以脊應土言居中爾

故春氣者病在頭

春氣謂肝氣也各隨其藏氣之所應○新校正云按周禮云春時有痟首疾

夏氣者病在藏

心之應也

秋氣者病在肩背

肺之應也

冬氣者病在四支

四支氣少寒毒善傷隨所受邪則爲病處

故春善病鼽衄

以氣在頭也禮記月令曰季秋行夏令則民多鼽嚏

仲夏善病胷脇

心之脉循胷脇故也

長夏善病洞泄寒中

土主於中是爲倉廩糟粕水穀故爲洞泄寒中也

秋善病風瘧

以凉折暑乃爲是病生氣通天論曰魄汗未盡形弱而氣爍穴俞以閉發爲風瘧此謂以凉折暑之義也禮記月令曰孟秋行夏令則民多瘧疾

冬善病痺厥

血象於水寒則水凝以氣薄流故爲痺厥

故冬不按蹻春不鼽衄

按謂按摩蹻謂如蹻捷者之舉動手足是所謂導引也然擾動筋骨則陽氣不藏春陽氣

上升重爇熏肺肺通於鼻病則形之故冬不按蹻春不鼽衄鼽謂鼻中水出衄謂鼻中血出蹻音喬

春不病頸項仲夏不病胷脇長夏不病洞泄寒中秋不病風瘧冬不病痺厥飧泄而汗出也

此上五句並爲冬不按蹻之所致也○新校正云詳飧泄而汗出也六字上文疑剩

夫精者身之本也故藏於精者春不病温

此正謂冬不按蹻則精氣伏藏以陽不妄升故春無温病

夏暑汗不出者秋成風瘧

此正謂以風凉之氣折暑汗也○新校正云詳此下義與上文不相接

此平人脉法也

謂平病人之脉法也

故曰陰中有陰陽中有陽

言其初起與其王也

平旦至日中天之陽陽中之陽也日中至黃昏

天之陽陽中之陰也

日中陽盛故曰陽中之陽黃昏陰盛故曰陽中之陰陽氣主晝故平旦至黃昏皆爲天之陽而中復有陰陽之殊也

合夜至雞鳴天之陰陰中之陰也雞鳴至平旦

天之陰陰中之陽也

雞鳴陽氣未出故曰天之陰平旦陽氣已升故曰陰中之陽

故人亦應之夫言人之陰陽則外爲陽內爲陰言人身之陰陽則背爲陽腹爲陰言人身之藏府中陰陽則藏者爲陰府者爲陽

藏謂五神藏府謂六化府

肝心脾肺腎五藏皆爲陰膽胃大腸小腸膀胱三焦六府皆爲陽

靈樞經曰三焦者上合於手心主又曰足三焦者太陽之别名也正理論曰三焦者有名無形上合於手心主下合右腎主謁道諸氣名爲使者

所以欲知陰中之陰陽中之陽者何也爲冬病在陰夏病在陽春病在陰秋病在陽皆視其所

在爲施鍼石也故背爲陽陽中之陽心也

心爲陽藏位處上焦以陽居陽故爲陽中之陽也靈樞經曰心爲牡藏牡陽也

背爲陽陽中之陰肺也

肺爲陰藏位處上焦以陰居陽故謂陽中之陰也靈樞經曰肺爲牝藏牝謂陰也

腹爲陰陰中之陰腎也

腎爲陰藏位處下焦以陰居陰故謂陰中之陰也靈樞經曰腎爲牝藏牝陰也

腹爲陰陰中之陽肝也

肝爲陽藏位處中焦以陽居陰故謂陰中之陽也靈樞經曰肝爲牡藏牡陽也

腹爲陰陰中之至陰脾也

脾爲陰藏位處中焦以太陰居陰故謂陰中之至陰也靈樞經曰脾爲牝藏牝陰也

此皆陰陽表裏內外雌雄相輸應也故以應天之陰陽也

以其氣象參合故能上應於天

帝曰五藏應四時各有收受乎岐伯曰有東方青色入通於肝開竅於目藏精於肝

精謂精氣也木精之氣其神魂陽升之方以目爲用故開竅於目

其病發驚駭

象木屈伸有搖動也○新校正詳東方云病發驚駭餘方各闕者按五常政大論委和之紀其發驚駭疑此文爲衍

其味酸其類草木

性柔脆而曲直

其畜雞

以雞爲畜取巽言之易曰巽爲雞

其穀麥

五穀之長者麥故東方用之本草曰麥爲五穀之長○新校正按五常政大論云其畜犬其穀麻

其應四時上爲歲星

木之精氣上爲歲星十二年一周天

是以春氣在頭也

萬物發榮於上故春氣在頭○新校正詳東方言春氣在頭不言故病在頭餘方言故病

在某不言某氣在某者互文也

其音角

角木聲也孟春之月律中大蔟林鍾所生三分益一管率長八寸仲春之月律中夾鍾所生夷則所生三分益一管率長七寸五分○新校正按鄭康成云七寸二千一百八十七分之寸千七十五○季春之月律中姑洗南呂所生三分益一管率長七寸又一十分寸之一○新校正按鄭康成云九分寸之一○凡是三管皆木氣應之

其數八

木生數三成數八尚書洪範曰三曰木

是以知病之在筋也

木之堅柔類筋氣故

其臭臊凡氣因木變則爲臊○新校正云詳臊月令作羶

南方赤色入通於心開竅於耳藏精於心火精之氣其神神神舌爲心之官當言於舌舌用非竅故云耳也繆刺論曰手少陰之絡會於耳中義取此也

故病在五藏以夏氣在藏也

其味苦其類火性炎上而燔灼燔音煩

其畜羊

以羊爲畜言其未也以土同王故通而言之○新校正云按五常政大論云其畜馬

其穀黍

黍色赤

其應四時上爲熒惑星

火之精氣上爲熒惑星七百四十日一周天

是以知病之在脉也

火之躁動類於脉氣

其音徵

徵火聲也孟夏之月律中仲呂無射所生三分益一管率長六寸七分○新校正云按鄭康成云六寸萬九千六百八十三分寸之萬二千九百七十四○仲夏之月律中蕤賓應

鍾所生三分益一管率長六寸三分○新校正云按鄭康成云六寸八十一分寸之二十六○季夏之月律中林鍾黄鍾所生三分減一管率長六寸凡是三管皆火氣應之

其數七

火生數二成數七尚書洪範曰二曰火

其臭焦

凡氣因火變則爲焦

中央黄色入通於脾開竅於口藏精於脾

主精之氣其神意脾爲化穀口上迎糧故開竅於口

故病在舌本

脾脉上連於舌本故病氣居之

其味甘其類土

性安靜而化造

其畜牛

土王四季故畜取丑牛又以牛色黃也

其穀稷

色黃而味甘也

其應四時上爲鎮星

土之精氣上爲鎮星二十八年一周天

是以知病之在肉也

土之柔厚類肉氣故

其音宮
宮土聲也律書以黃鍾爲濁宮林鍾爲清宮蓋以林鍾當六月管也五音以宮爲主律呂初起於黃鍾爲濁宮林鍾爲清宮也

其數五
土數五尚書洪範曰五曰土

其臭香
凡氣因土變則爲香

西方白色入通於肺開竅於鼻藏精於肺
金精之氣其神魄肺藏氣鼻通息故開竅於鼻

故病在背

以肺在胸中背爲胸中之府也

其味辛其類金性音聲而堅勁

其畜馬畜馬者取乾也易曰乾爲馬○新校正云按五常政大論云其畜雞

其穀稻稻堅白

其應四時上爲太白星金之精氣上爲太白星二百六十五日一周天

是以知病之在皮毛也

金之堅密類皮毛也

其音商

商金聲也孟秋之月律中夷則大呂所生三分減一管率長五寸七分仲秋之月律中南呂大蔟所生三分減一管率長五寸三分季秋之月律中無射夾鍾所生三分減一管率長五寸凡是三管皆金氣應之

其數九

金生數四成數九尚書洪範曰四曰金

其臭腥

凡氣因金變則爲膻腥之氣也

北方黑色入通於腎開竅於二陰藏精於腎

水精之氣其神志腎藏精陰泄注故開竅於二陰也

故病在谿

谿謂肉之小會也氣穴論曰肉之大會爲谷肉之小會爲谿

其味鹹其類水

性潤下而滲灌

其畜彘

彘豕也

其穀豆

豆黑色

其應四時上爲辰星

水之精氣上爲辰星三
百六十五日一周天

是以知病之在骨也

骨主幽暗骨體內藏以
類相同故病居骨也

其音羽

羽水聲也孟冬之月律中應鍾姑洗所生三
分減一管律長四寸七分半仲冬之月律中
黄鍾仲呂所生三分益一管率長九寸季冬
之月律中大呂蕤賓所生三分益一管率長
八寸四分九是三
管皆水氣應之

其數六

水生數一成數六尚
書洪範曰一曰水

其臭腐

凡氣因水變則爲腐朽之氣也

故善爲脉者謹察五藏六府一逆一從陰陽表裏雌雄之紀藏之心意合心於精

心合精微則深知通變

非其人勿教非其眞勿授是謂得道

隨其所能而與之是謂得師資教授之道也靈樞經曰明目者可使視色聰耳者可使聽音捷疾辭語者可使論語徐而安靜手巧而心審諦者可使行鍼艾理血氣而調諸逆順察陰陽而兼諸方緩節柔筋而心和調者可使導引行氣痛毒言語輕人者可使唾癰呪病爪苦手毒爲事善傷者可使按積抑痺由是則各得其能方乃可行其名乃彰故曰非其人勿教非其眞勿授也

○陰陽應象大論篇第五

新校正云按全元起本在第九卷

黃帝曰陰陽者天地之道也

謂變化生成之道也老子曰萬物負陰而抱陽沖氣以爲和易繫辭曰一陰一陽之謂道此之謂也

萬物之綱紀

滋生之用也陽與之正氣以生陰爲之主時以立故爲萬物之綱紀也陰陽離合論曰陽與之正陰爲之主則謂此也

變化之父母

異類之用也何者然鷹化爲鳩田鼠化爲鴽腐草化爲螢雀入大水爲蛤雉入大水爲蜃

如此皆異類因變化而成者也

生殺之本始

寒暑之用也萬物假陽氣溫而生因陰氣寒而死故知生殺本始是陰陽之所運爲也

神明之府也

府官府言所以生殺變化之多端者何哉以神明居其中也下文曰天地之動靜神明爲之綱紀故易繫辭曰陰陽不測之謂神亦謂居其中也○新校正云詳陰陽至神明之府與天元紀大論同註頗異

治病必求於本

陰陽與萬類生殺變化猶然在於人身同相參合故治病之道必先求之

故積陽爲天積陰爲地

言陰陽爲天地之道者何以此

陰靜陽躁

言應物類運用之標格也

陽生陰長陽殺陰藏

明前天地生殺之殊用也神農曰天以陽生陰長地以陽殺陰藏〇新校正云詳陰長陽殺之義或者疑之按周易八卦布四方之義則可見矣坤者陰也位西南隅時在六月七月之交萬物之所盛長也安謂陰無長之理乾者陽也位戌亥之分時在九月十月之交萬物之所收殺也孰謂陽無殺之理以是明之陰長陽殺之理可見矣此語又見天元紀大論其說自異矣

陽化氣陰成形

明前萬物滋生之綱紀也

寒極生熱熱極生寒

明前之大體也

寒氣生濁熱氣生清

言正氣也

清氣在下則生飧泄濁氣在上則生䐜脹

熱氣在下則穀不化故飧泄寒氣在上則氣不散故䐜脹何者以陰靜而陽躁也䐜昌真切肉脹起也

此陰陽反作病之逆從也

反謂反覆作謂作務反覆作務則病如是

故清陽為天濁陰爲地地氣上爲雲天氣下為雨雨出地氣雲出天氣

陰凝上結則合以成雲陽散下流則注而爲雨雨從雲以施化故言雨出地雲憑氣以交合故言雲出天天地之理且然人身清濁亦如是也

故清陽出上竅濁陰出下竅

氣本乎天者親上氣本乎地者親下各從其類也上竅謂耳目鼻口下竅謂前陰後陰

清陽發腠理濁陰走五藏

腠理謂滲泄之門故清陽可以散發五藏爲包藏之所故濁陰可以走之滲所禁反

清陽實四支濁陰歸六府

四支外動故清陽實之六府內化故濁陰歸之

水爲陰火爲陽

水寒而靜故爲陰火熱而躁故爲陽

陽爲氣陰爲味

氣惟散布故陽爲之味曰從形故陰爲之

味歸形形歸氣氣歸精精歸化

形食味故味歸形氣養形故形歸氣精食氣故氣歸精化生精故精歸化故下文曰

精食氣形食味

氣化則精生味和則形長故云食之也

化生精氣生形

精微之液惟血化而成形質之有資氣行營立故斯二者各奉生乎

味傷形氣傷精

過其節也

精化為氣氣傷於味

精承化養則食氣精若化生則不食氣精血內結鬱為穢腐攻胃則五味倨然不得入也女人重身精化百日皆傷於味也

陰味出下竅陽氣出上竅

味有質故下流於便寫之竅氣無形故上出於呼吸之門

味厚者為陰薄為陰之陽氣厚者為陽薄為陽之陰

陽為氣氣厚者為純陽陰為味味厚者為純陰故味薄者為陰中之陽氣薄者為陽中之

陰

味厚則泄薄則通氣薄則發泄厚則發熱

陰氣潤下故味厚則泄利陽氣炎上故氣厚則發熱味薄爲陰少故通泄氣薄爲陽少故汗出發泄謂汗出也

壯火之氣衰少火之氣壯

火之壯者壯已必衰火之少者少已則壯

壯火食氣氣食少火壯火散氣少火生氣

氣生壯火故云壯火食氣氣少火滋氣故云氣食少火以壯火食氣故氣得壯火則耗散以少火益氣故氣得少火則生長人之陽氣壯少亦然

氣味辛甘發散爲陽酸苦涌泄爲陰

非惟氣味分正陰陽然辛甘酸苦之中復有陰陽之殊氣爾何者辛散甘緩故發散爲陽酸收苦泄故涌泄爲陰也

陰勝則陽病陽勝則陰病

勝則不病不勝則病

陽勝則熱陰勝則寒

是則大過而致也○新校正云按甲乙經作陰病則熱陽病則寒文異意同

重寒則熱重熱則寒

物極則反必猶壯火之氣衰少火之氣壯也

寒傷形熱傷氣

寒則衛氣不利故傷形熱則榮氣內消故傷氣雖陰成形陽化氣一過其節則形氣破蕩

氣傷痛形傷腫

氣傷則熱結於肉分故痛形傷則寒薄於皮腠故腫

故先痛而後腫者氣傷形也先腫而後痛者形傷氣也

先氣證而病形故曰氣傷形先形證而病氣故曰形傷氣

風勝則動

風勝則庶物皆摇故爲動○新校正云按左傳曰風淫末疾即此義也

熱勝則腫

熱勝則陽氣内鬱故洪腫暴作甚則榮氣逆於肉理聚爲癰膿之腫

燥勝則乾

燥勝則津液竭涸故皮膚乾燥

寒勝則浮

寒勝則陰氣結於玄府玄府閉密陽氣内攻故爲浮

濕勝則濡寫

濕勝則内攻於脾胃脾胃受濕則水穀不分水穀相和故大腸傳道而注寫也以濕内盛而寫故謂之濡寫○新校正按左傳曰雨淫腹疾則其義也風勝則動至此五句與六元正紀大論文重彼註頗詳

天有四時五行以生長收藏以生寒暑燥濕風

春生夏長秋收冬藏謂四時之生長收藏冬水寒夏火暑秋金燥春木風長夏土濕謂五行之寒暑濕燥風也然四時之氣土雖寄王原其所主則濕屬中央故云五行以生寒暑

燥濕風五氣也

人有五藏化五氣以生喜怒悲憂恐

五藏謂肝心脾肺腎五氣謂喜怒悲憂恐然是五氣更傷五藏之和氣矣○新校正云按天元紀大論悲作思又本篇下文肝在志爲怒心在志爲喜脾在志爲思肺在志爲憂腎在志爲恐玉機真藏論作悲諸論不同皇甫士安甲乙經精神五藏篇具有其説盖言悲者以悲能勝怒取五志迭相勝而爲言也舉思者以思爲脾之志也各舉一則義俱不足兩見之則互相成義也

故喜怒傷氣寒暑傷形

喜怒之所生皆生於氣故云喜怒傷氣寒暑之所勝皆勝於形故云寒暑傷形近取舉凡則如斯矣細而言者則熱傷於氣寒傷於形

暴怒傷陰暴喜傷陽

怒則氣上喜則氣下故暴卒氣上則傷陰暴卒氣下則傷陽

厥氣上行滿脉去形

厥氣逆也逆氣上行滿於經絡則神氣浮越去離形骸也

喜怒不節寒暑過度生乃不固

靈樞經曰智者之養生也必順四時而適寒暑和喜怒而安居處然喜怒不常寒暑過度天真之氣何可久長

故重陰必陽重陽必陰

言傷寒傷暑亦如是

故曰冬傷於寒春必病温

夫傷於四時之氣皆能爲病以傷寒爲毒者最爲殺厲之氣中而即病故曰傷寒不即病者寒毒藏於肌膚至春變爲溫病至夏變爲暑病故養生者必慎傷於邪也

春傷於風夏生飧泄

風中於表則內應於肝肝氣乘脾故飧泄○新校正云按生氣通天論云春傷於風邪氣留連乃爲洞泄

夏傷於暑秋必痎瘧

夏暑已甚秋熱復壯兩熱相攻故爲痎瘧痎瘦也

秋傷於濕冬生欬嗽

秋濕既多冬水復王水濕相得肺氣又衰故冬寒甚則爲嗽○新校正云按生氣通天論云秋傷於濕上逆而欬發爲痿厥

帝曰余聞上古聖人論理人形列別藏府端絡經脉會通六合各從其經氣穴所發各有處名谿谷屬骨皆有所起分部逆從各有條理四時陰陽盡有經紀外内之應皆有表裏其信然乎

六合謂十二經脉之合也靈樞經曰大陰陽明爲一合少陰大陽爲一合厥陰少陽爲一合手足之脉各三則爲六合也手厥陰則心包絡脉也氣穴論曰肉之大會爲谷肉之小會爲谿肉分之間谿谷之會以行榮衛以會大氣屬骨者爲骨相連屬處表裏者諸陽經脉皆爲表諸陰經脉皆爲裏〇新校正云詳帝曰至其信然乎全元起本及大素在上古聖人之教也上

岐伯對曰東方生風

風生木陽氣上騰散爲風也風者天之號令風爲教始故生自東方

木生酸風鼓木榮則風生木也

酸生肝凡物之味酸者皆木氣之所生也尚書洪範曰曲直作酸

肝生筋生謂生長也凡味之酸者皆先生長於肝

筋生心肝之精氣生養筋也

陰陽書曰木生火然肝之木氣內養筋已乃生心火

肝主目

日見曰明類齊同也

其在天爲玄

玄謂玄冥言天色高遠尚未盛明也

在人爲道

道謂道化以道而化人則歸從

在地爲化

化謂造化也庶類時育皆造化者也

化生五味

萬物生五味具皆變化爲母而使生成也

道生智

智從正化而有故曰道生智

玄生神

玄冥之內神處其中故曰玄生神

神在天爲風

飛揚皷坼風之用也然發而周遠無所不通信乎神化而能爾

在地爲木

柔軟曲直木之性也○新校正云詳其在天至爲木與天元紀大論同註頗異

在體爲筋

束絡連綴而爲力也

在藏爲肝

其神魂也道經義曰魂居肝魂静則至道不亂

在色爲蒼

蒼謂薄青色象木色也

在音爲角

角謂木音調而直也樂記曰角亂則憂其民怨

在聲爲呼

呼謂叫乎亦謂之嘯

在變動爲握

握所以牽就也○新校正云按楊上善云握憂噦欬慄五者改志而有名曰變動也

在竅爲目

目所以司見形色

在味爲酸

酸可用收斂也

在志爲怒

怒所以禁非也

怒傷肝

雖志爲怒甚則自傷

悲勝怒

悲則肺金并於肝木故勝怒也宣明五氣篇曰精氣并於肺則悲〇新校正云詳五志云怒喜思憂恐悲當云憂今變憂爲悲者盖以恚憂而不解則傷意悲哀而動中則傷魂故不云憂也

風傷筋風勝則筋絡拘急〇新校正云按五運行大論曰風傷肝

燥勝風燥爲金氣故勝木風

酸傷筋過節也

辛勝酸

辛金味故勝木酸

南方生熱

陽氣炎爍故生熱

熱生火

鑽燧改火惟熱是生

火生苦

凡物之味苦者皆火氣之所生也尚書洪範曰炎上作苦

苦生心

凡味之苦者皆先生長於心

心生血

心之精氣生養血也

血生脾陰陽書曰火生土然心火之氣内養血血已乃生脾土○新校正云按大素血作脉

心主舌心別是非舌以言事故主舌

其在天爲熱暄暑熾燠熱之用也

在地爲火炎上翕赩火之性也赩許極反

在體爲脉

通行榮衛而養血也

在藏爲心

其神神也道經義曰神處心神守則血氣流通

在色爲赤

象火也

在音爲徵

徵謂火音和而美也樂記曰徵亂則哀其事勤

在聲爲笑

笑喜聲也

在變動爲憂

憂可以成務○新校正云按楊上善云心之憂在心變動肺之憂在肺之志是則肺主於秋憂爲正也而心主於夏變而生憂也

在竅爲舌

舌所以司辨五味也金匱真言論曰南方赤色入通於心開竅於耳尋其爲竅則舌義便乖以其主味故云舌也

在味爲苦

苦可用燥泄也

在志爲喜

喜所以知樂也

喜傷心

雖志爲喜甚則自傷

恐勝喜

恐則腎水并於心火故勝喜也宣明五氣篇曰精氣并於腎則恐

熱傷氣

熱勝則喘息促急

寒勝熱

寒爲水氣故勝火熱

苦傷氣

以火生也○新校正云詳此篇論所傷之旨其例有三東方云風傷筋酸傷筋中央云濕傷肉甘傷肉是自傷者也南方云熱傷氣苦傷氣北方云寒傷血鹹傷血是傷己所勝西

方云熱傷皮毛是被勝傷已辛傷皮毛是自傷者也凡此五方所傷有此三例不同太素則俱云自傷

鹹勝苦鹹水味故勝火苦

中央生濕陽氣盛薄陰氣固升升薄相合故生濕也易義曰陽上薄陰陰能固之然後蒸而爲雨明濕生於固陰之氣也○新校正云按楊上善云六月四陽二陰合蒸以生濕氣也

濕生土土濕則固明濕生也○新校正云按楊上善云四陽二陰合而爲濕蒸腐萬物成土也

土生甘

凡物之味甘者皆土氣之所生也尚書洪範曰稼穡作甘

甘生脾

凡味之甘者皆先生長於脾

脾生肉

脾之精氣生養肉也

肉生肺

陰陽書曰土生金然脾土之氣內養肉已乃生肺金

脾主口

脾受水穀口納五味故主口

其在天為濕

霧露雲雨濕之用也

在地爲土

安静稼穡土之德也

在體爲肉

覆裹筋骨充其形也

在藏爲脾

其神意也道經義曰意託脾意寧則智無散越

在色爲黄

象土色

在音爲宫

在聲爲歌宮謂土音大而和也樂記曰宮亂則荒其君驕

歌嘆聲也

在變動爲噦噦謂噦噫胃寒所生○新校正云詳王謂噦爲噦噫噫非噦也按楊上善云噦氣泝也〔噦〕乙劣反〔噫〕烏界反

在竅爲口口所以司納水穀

在味爲甘甘可用寬緩也

在志爲思思所以知遠也

思傷脾雖志爲思甚則自傷

怒勝思怒則不思勝可知矣

濕傷肉脾主肉而惡濕故濕勝則肉傷

風勝濕風爲木氣故勝土濕

甘傷肉

亦過節也○新校正云按五運行大論云甘傷脾

酸勝甘

酸木味故勝土甘

西方生燥

天氣急切故生燥

燥生金

金燥有聲則生金也

金生辛

凡物之味辛者皆金氣之所生也尚書洪範曰從革作辛

辛生肺

凡味之辛者皆先生長於肺

肺生皮毛

肺之精氣生養皮毛

皮毛生腎

陰陽書曰金生水然肺金之氣養皮毛已乃生腎水

肺主鼻

肺藏氣鼻通息故主鼻

其在天爲燥

輕急勁強燥之用也

在地爲金
堅勁從革金之性也

在體爲皮毛
包藏膚腠捍其邪也

在藏爲肺
其神魄也道經義曰魄在肺魄安則德修壽延

在色爲白
象金色

在音爲商
商謂金聲輕而勁也樂記曰商亂則陂其官壞

在聲爲哭

哭哀聲也

在變動爲欬

欬謂欬嗽所以利咽喉也

在竅爲鼻

鼻所以司嗅呼吸

在味爲辛

辛可用散潤也

在志有憂

憂深慮也

憂傷肺

雖志爲憂過則損也

喜勝憂

喜則心火并於肺金故勝憂也宣明五氣篇曰精氣并於心則喜

熱傷皮毛

熱從火生耗津液故

寒勝熱

陰制陽也○新校正云按太素作燥傷皮毛熱勝燥又按王註五運行大論云火有二別故此再舉熱傷之形證

辛傷皮毛

過而招損

苦勝辛

苦火味故勝金辛

北方生寒

陰氣凝冽故生寒也

寒生水

寒氣盛凝變爲水

水生鹹

凡物之味鹹者皆水氣之所生也尚書洪範曰潤下作鹹

鹹生腎

凡味之鹹者皆先生長於腎

腎生骨髓

腎之精氣生養骨髓

髓生肝

陰陽書曰水生木然腎水之氣養骨髓巳乃生肝木

腎主耳

腎屬北方位居幽暗聲入故主耳

其在天為寒

藏清㵳冽寒之用也

在地爲水

清潔潤下水之用也

在體爲骨

端直貞幹以立身也

在藏爲腎

其神志也道經義曰志藏腎志營則骨髓滿實

在色爲黑

象水色

在音爲羽

羽謂水音沉而深也樂記曰羽亂則危其財匱

在聲爲呻

呻吟聲也

在變動爲慄

慄謂戰慄甚寒大恐而悉有之

在竅爲耳

耳所以司聽五音○新校正云按金匱真言論云開竅於二陰盖以心寄竅於耳故與此不同

在味爲醎

醎可用柔耎也

在志爲恐

恐所以懼惡也

恐傷腎

恐而不已則内感於腎故傷也靈樞經曰恐懼而不解則傷精明感腎也

思勝恐

思深慮遠則見事源故勝恐也

寒傷血

寒則血凝傷可知也○新校正云按太素血作骨

燥勝寒

燥從熱生故勝寒也○新校正云按太素燥作濕

鹹傷血

食鹹而渴傷血可知○新校正云按太素血作骨

甘勝鹹
甘土味故勝水鹹○新校正云詳自前岐伯對曰至此與五運行論同兩註頗異當並用之

故曰天地者萬物之上下也
觀其覆載而萬物之上下可知矣

陰陽者血氣之男女也
陰主血陽主氣陰生女陽生男

左右者陰陽之道路也
陰陽間氣左右循環故左右爲陰陽之道路也○新校正云詳間氣之說具六微旨大論中楊上善云陰氣右行陽氣左行謂此也

水火者陰陽之徵兆也觀水火之氣則陰陽徵兆可明矣

陰陽者萬物之能始也謂能爲變化生成之元始○新校正云詳天地者至萬物之能始與天元紀大論同註頗異彼無陰陽者血氣之男女一句又以金木者生成之終始代陰陽者萬物之能始

故曰陰在内陽之守也陽在外陰之使也陰靜故爲陽之鎮守陽動故爲陰之役使

帝曰法陰陽奈何岐伯曰陽勝則身熱腠理閉喘麤爲之俛仰汗不出而熱齒乾以煩寃腹滿死能冬不能夏

陽勝故能冬熱甚故不能夏能奴代反下能夏形能並同上

陰勝則身寒汗出身常清數慄而寒寒則厥厥則腹滿死

厥謂氣逆

能夏不能冬

陰勝故能夏寒甚故不能冬

此陰陽更勝之變病之形能也帝曰調此二者柰何

調謂順天癸性而治身之血氣精氣也

岐伯曰能知七損八益則二者可調不知用此

則早衰之節也用謂房色也女子以七七爲天癸之終丈夫以八八爲天癸之極然知八可益知七可損則各隨氣分脩養天眞終其天年以度百歲上古天眞論曰女子二七天癸至月事以時下丈夫二八天癸至精氣溢寫然陰七可損則海滿而血自下陽八宜益交會而泄精由此則七損八益理可知矣

年四十而陰氣自半也起居衰矣内耗故陰減中乾故氣力始衰靈樞經曰人年四十腠理始踈榮華稍落鬓斑白由此之節言之亦起居衰之次也

年五十體重耳目不聰明矣衰之漸也

年六十陰痿氣大衰九竅不利下虛上實涕泣俱出矣衰之甚矣

故曰知之則強不知則老知謂知七損八益全形保性之道也

故同出而名異耳同謂同於好欲異謂異其老壯之名

智者察同愚者察異智者察同欲之間而能性道愚者見形容別異方乃効之自性則道益有餘放効則治生不足故下文曰放妃兩反

愚者不足智者有餘先行故有餘後學故不足有餘則耳目聰明身體輕强老者復壯壯者益治夫保性全形蓋由知道之所致也故曰道者不可斯須離可離非道此之謂也是以聖人爲無爲之事樂恬憺之能從欲快志於虛無之守故壽命無窮與天地終此聖人之治身也聖人不爲無益以害有益不爲害性而順性故壽命長遠與天地終庚桑楚曰聖人之於聲色滋味也利於性則取之害於性則損之此全性之道也書曰不作無益害有益也

天不足西北故西北方陰也而人右耳目不如左明也在上故法天地不滿東南故東南方陽也而人左手足不如右強也在下故法地

帝曰何以然岐伯曰東方陽也陽者其精并於上并於上則上明而下虛故使耳目聰明而手足不便也西方陰也陰者其精并於下并於下則下盛而上虛故其耳目不聰明而手足便也

故俱感於邪其在上則右甚在下則左甚此天地陰陽所不能全也故邪居之

夫陰陽之應天地猶水之在器也器圓則水圓器曲則水曲人之血氣亦如是故隨不足則邪氣留居之并去聲

故天有精地有形天有八紀地有五里

陽爲天降精氣以施化陰爲地布和氣以成形五行爲生育之井里八風爲變化之綱紀八紀爲八節之紀五里謂五行化育之里

故能爲萬物之父母

陽天化氣陰地成形五里運行八風鼓坼收藏生長無替時宜夫如是故能爲萬物變化之父母也

清陽上天濁陰歸地

所以能爲萬物之父母者何以有是之升降也

是故天地之動靜神明爲之綱紀

清陽上天濁陰歸地然其動靜誰所主司盖由神明之綱紀爾上文曰神明之府此之謂也

故能以生長收藏終而復始

神明之運爲乃能如是

惟賢人上配天以養頭下象地以養足中傍人事以養五藏

頭圓故配天足方故象地人事更易五藏遞遷故從而養也

天氣通於肺

居高故

地氣通於嗌

次下故嗌伊昔反

風氣通於肝

風生木故

雷氣通於心

雷象火之有聲故

谷氣通於脾

谷空虛脾受納故

雨氣通於腎

腎主水故○新校正云按千金方云風氣應於肝雷氣動於心穀氣感於脾雨氣潤於腎

六經爲川流注不息故也

腸胃爲海以皆受納也靈樞經曰胃爲水穀之海

九竅爲水注之氣清明者象水之內明流注者象水之流注

以天地爲之陰陽以人事配象則近指天地以爲陰陽

陽之汗以天地之雨名之

夫人汗泄於皮膚者是陽氣之發泄爾然其取類於天地之間則雲騰雨降而相似也故日陽之汗以天地之雨名之

陽之氣以天地之疾風名之

陽氣散發疾風飛揚故以應之舊經無名之二字尋前類例故加之

暴風象雷

暴風鼓擊鳴轉有聲故

逆氣象陽

逆氣凌上陽氣亦然

故治不法天之紀不用地之理則災害至矣

背天之紀違地之理則六經反作五氣更傷真氣既傷則災害之至可知矣○新校正云

按上文天有八紀地有五里此文註中理字當作里

故邪風之至疾如風雨至謂至於身形

故善治者治皮毛止於萌也

其次治肌膚救其已生

其次治筋脉攻其已病

其次治六府

治其已甚

其次治五藏治五藏者半死半生也

治其已成神農曰病勢已成可得半愈然初成者獲愈固久者伐形故治五藏者半生半死也

故天之邪氣感則害人五藏

四時之氣八正之風皆天邪也金匱眞言論曰八風發邪以爲經風觸五藏邪氣發病故天之邪氣感則害人五藏

水穀之寒熱感則害於六府

熱傷胃及膀胱寒傷腸及膽氣

地之濕氣感則害皮肉筋脉

濕氣勝則榮衛之脉不行故感則害於皮肉筋脉

故善用鍼者從陰引陽從陽引陰以右治左以左治右以我知彼以表知裏以觀過與不及之理見微則過用之不殆

深明故也

善診者察色按脉先別陰陽

別於陽者則知病處別於陰者則知死生之期

審清濁而知部分

謂察色之青赤黄白黑也部分謂藏府之位可占候

視喘息聽音聲而知所苦

謂聽聲之宫商角徵羽也視喘息謂候呼吸之長短也

觀權衡規矩而知病所主

權謂秤權衡謂星衡規謂圓形矩謂方象然權也者所以察中外衡也者所以定高卑規也者所以表柔虛矩也者所以明強盛脉要精微論曰以春應中規言陽氣柔軟以夏應中矩言陽氣盛強以秋應中衡言陰升陽降氣有高下以冬應中權言陽氣居下也故善診之用必備見焉所主者謂應四時之氣所主生病之在高下中外也

按尺寸觀浮沉滑濇而知病所生以治

浮沉滑濇皆脉象也浮脉者浮於手下也沉脉者按之乃得也滑脉者往來易濇脉者往來難故審尺寸觀浮沉而知病之所生以治之也○新校正云按甲乙經作知病所在以治治則無過下無過二字續此爲句濇音色

無過以診則不失矣

有過無過皆以診之則所主治無誤失也

故曰病之始起也可刺而已

以輕微也

其盛可待衰而已

病盛取之毀傷真氣故其盛者必可待衰

故因其輕而揚之

輕者發揚則邪去

因其重而減之

重者即減去之

因其衰而彰之

因病氣衰攻令邪去則眞氣堅固血色彰明

形不足者溫之以氣精不足者補之以味

氣謂衛氣味謂五藏之味也靈樞經曰衛氣者所以溫分肉而充皮膚肥腠理而司開闔故衛氣溫則形分足矣上古天眞論曰腎者主水受五藏六府之精而藏之故五藏盛乃能寫由此則精不足者補五藏之味也

其高者因而越之

越謂越揚也

其下者引而竭之

引謂泄引也

中滿者寫之於內內謂腹內

其有邪者漬形以爲汗邪謂風邪之氣風中於表則汗而發之漬疾賜反

其在皮者汗而發之在外故汗發泄也

其慓悍者按而收之慓疾也悍利也氣候疾利則按之以收斂也慓必遙反悍音汗

其實者散而寫之陽實則發散陰實則宜寫故下文云

審其陰陽以别柔剛

陰曰柔陽曰剛

陽病治陰陰病治陽

所謂從陰引陽從陽引陰以右治左以左治右者也

定其血氣各守其鄉

鄉謂本經之氣位

血實宜決之

決謂決破其血

氣虚宜掣引之

掣讀爲導導引則氣行條暢○新校正云按甲乙經掣作挈

○陰陽離合論篇第六

新校正云按全元起本在第三卷

黄帝問曰余聞天爲陽地爲陰日爲陽月爲陰大小月三百六十日成一歲人亦應之

以四時五行運用於内故人亦應之○新校正云詳天爲陽至成一歲與六節藏象篇重

今三陰三陽不應陰陽其故何也岐伯對曰陰陽者數之可十推之可百數之可千推之可萬萬之大不可勝數然其要一也

一謂離合也雖不可勝數然其要妙以離合推步悉可知之

天覆地載萬物方生未出地者命曰陰處名曰

陰中之陰

處陰之中故曰陰處形未動出亦是爲陰以陰居陰故曰陰中之陰

則出地者命曰陰中之陽

形動出者是則爲陽以陽居陰故曰陰中之陽

陽予之正陰爲之主

陽施正氣萬物方生陰爲主持群形乃立 予音與

故生因春長因夏收因秋藏因冬失常則天地四塞

春夏爲陽故生長也秋冬爲陰故收藏也若失其常道則春不生夏不長秋不收冬不藏夫如是則四時之氣閉塞陰陽之氣無所運行矣

陰陽之變其在人者亦數之可數

天地陰陽雖不可勝數在於人形之用者則數可知之

帝曰願聞三陰三陽之離合也岐伯曰聖人南面而立前曰廣明後曰大衝

廣大也南方丙丁火位主之陽氣盛明故曰大明也嚮明治物故聖人南面而立易曰相見乎離蓋謂此也然在人身中則心藏在南故謂前曰廣明衝脉在北故謂後曰大衝然

大衝之地名曰少陰

大衝者腎脉與衝脉合而盛大故曰大衝是以下文云

此正明兩脉相合而為表裏也

少陰之上名曰太陽

腎藏爲陰膀胱府爲陽陰氣在下陽氣在上此爲一合之經氣也靈樞經曰足少陰之脉者腎脉也起於小指之下斜趣足心又曰足太陽之脉者膀胱脉也循京骨至小指外側由此故少陰之上名太陽也是以下文曰

太陽根起於至陰結於命門名曰陰中之陽

至陰穴名在足小指外側命門者藏精光照之所則兩目也太陽之脉起於目而下至於足故根於指端結於目也靈樞經曰命門者目也此與靈樞義合以太陽居少陰之地故曰陰中之陽○新校正云按素問太陽言根結於經不言結甲乙今具

中身而上名曰廣明廣明之下名曰太陰

靈樞經曰天爲陽地爲陰腰以上爲天腰以下爲地分身之旨則中身之上屬於廣明廣明之下屬太陰也又心廣明藏下則太陰脾藏也

太陰之前名曰陽明

入身之中胃爲陽明脉行在脾脉之前脾爲之太陰脉行於胃脉之後靈樞經曰足太陰之脉者脾脉也起於大指之端循指內側白肉際過核骨後上內踝前廉上腨內循胻骨之後足陽明之脉者胃脉也下膝三寸而别以下入中指外間由此故太陰之前名陽明也是以下文曰腨市兖反

陽明根起於厲兌名曰陰中之陽

厲兌穴名在足大指次指之端以陽明居太陰之前故曰陰中之陽

厥陰之表名曰少陽

人身之中膽少陽脉行肝脉之分外肝厥陰脉行膽脉之位內靈樞經曰足厥陰脉者肝脉也起於足大指聚毛之際上循足跗上廉足少陽之脉者膽脉也循足跗上出小指次

指之端由此則厥陰之表名少陽也故下文曰跗甫無反

少陽根起於竅陰名曰陰中之少陽

竅陰穴名在足小指次指之端以少陽居厥陰之表故曰陰中之少陽

是故三陽之離合也太陽爲開陽明爲闔少陽爲樞

離謂别離應用合謂配合於陰别離則正位於三陽配合則表裏而爲藏府矣開闔樞者言三陽之氣多少不等動用殊也夫開者所以司動静之基闔者所以執禁固之權樞者所以主動轉之微由斯殊氣之用故此三變之也○新校正云按九墟太陽爲開陽明爲闔少陽爲樞故開折則肉節潰緩而暴病起矣故疾暴病者取之太陽闔折則氣無所止息悖病起故悖者皆取之陽明樞折則骨摇而不能安於地故骨摇者取之少陽甲乙經

同

三經者不得相失也搏而勿浮命曰一陽

三經之至搏擊於手而無輕重之異則正可謂一陽之氣無復有三陽差降之爲用也

搏音慱

帝曰願聞三陰岐伯曰外者爲陽内者爲陰

言三陽爲外運之離合三陰爲内用之離合也

然則中爲陰其衝在下名曰太陰

衝脉在脚之下故言其衝在下也靈樞經曰衝脉者與足少陰之絡皆起於腎下上行者過於胞中由此則其衝之上太陰位也

太陰根起於隱白名曰陰中之陰

隱白穴名在足大指端以太陰居陰故曰陰中之陰

太陰之後名曰少陰

藏位及經脉之次也太陰脾也少陰腎也脾藏之下近後則腎之位也靈樞經曰足太陰之脉起於大指之端循指內之側反上內踝前廉上腨內循骭骨後足少陰之脉起於小指下斜趨足心出於然骨之下循內踝後以上腨內由此則太陰之下名少陰也【骭】音行

少陰根起於涌泉名曰陰中之少陰

涌泉穴名在足心下蜷指宛宛中【蜷】音權

少陰之前名曰厥陰

亦藏位及經脉之次也少陰腎也厥陰肝也腎藏之前近上則肝之位也靈樞經曰足少陰脉循內踝之後上腨內廉足厥陰脉循足跗上廉去內踝一寸上踝八寸交出太陰之

後上腦內由此故少陰之前名厥陰也

厥陰根起於大敦陰之絕陽名曰陰之絕陰

大敦穴名在足大指之端三毛之中也兩陰相合故曰陰之絕陽厥盡也陰氣至此而盡故名曰陰之絕陰

是故三陰之離合也太陰爲開厥陰爲闔少陰爲樞

亦氣之不等也○新校正云按九墟云開折則倉廩無所輸隔洞者取之太陰闔折則氣弛而善悲悲者取之厥陰樞折則脉有所結而不通不通者取之少陰甲乙經同

三經者不得相失也搏而勿沉名曰一陰

沉言殊見也陽浮亦然若經氣應至無沉浮之異則悉可謂一陰之氣非復有三氣差降

之殊用也

陰陽衝䵢積傳爲一周氣裏形表而爲相成也

衝䵢言氣之往來積謂積脉之動也傳謂陰陽之氣流傳也夫脉氣往來動而不止積其所動氣血循環應水下二刻而一周於身故曰積傳爲一周也然榮衛之氣因息遊布周流形表拒捍虛邪中外主司互相成立故言氣裏形表而爲相成也○新校正云按別本䵢䵢作衝衝

○陰陽別論篇第七

新校正云按全元起本在第四卷

黃帝問曰人有四經十二從何謂

經謂經脉從謂順從

岐伯對曰經應四時十二從應十二月十二月應十二脉

春脉弦夏脉洪秋脉浮冬脉沉謂四時之經脉也從謂天氣順行十二辰之分故應十二月也十二月謂春建寅卯辰夏建巳午未秋建申酉戌冬建亥子丑之月也十二脉謂手三陰三陽足三陰三陽之脉也以氣數相應故參合之

脉有陰陽知陽者知陰知陰者知陽

深知則備識其變易

凡陽有五五五二十五陽

五陽謂五藏之陽氣也五藏應時各形一脉一脉之内包總五藏之陽五五相乘故二十五陽也○新校正云按玉機真藏論云故病有五變五五二十五變義與此通

所謂陰者眞藏也見則爲敗敗必死也

五藏爲陰故曰陰者眞藏也然見者謂肝脉至中外急如循刀刃責責然如按琴瑟絃心脉至堅而搏如循薏苡子累累然肺脉至大而虛如以毛羽中人膚腎脉至搏而絶如以指彈石辟辟然脾脉至弱而乍數乍踈夫如是脉見者皆爲藏敗神去故必死也累力追反

所謂陽者胃脘之陽也

胃脘之陽謂人迎之氣也察其氣脉動靜小大與脉口應否也胃爲水穀之海故候其氣而知病處人迎在結喉兩傍脉動應手其脉之動常左小而右大左小常以候藏右大常以候府一云胃脘之陽非也脘音管

別於陽者知病處也別於陰者知死生之期

陽者衛外而爲固然外邪所中別於陽則知病處陰者藏神而内守若考真正成敗別於陰則知病者死生之期○新校正云按玉機真藏論云別於陽者知病從來別於陰者知死生之期

三陽在頭三陰在手所謂一也

頭謂人迎手謂氣口兩者相應俱往俱來若引繩小大齊等者名曰平人故言所謂一也氣口在手魚際之後一寸人迎在結喉兩傍一寸五分皆可以候藏府之氣

別於陽者知病忌時別於陰者知死生之期

識氣定期故知病忌審明成敗故知死生之期

謹熟陰陽無與衆謀

謹量氣候精熟陰陽病忌之準可知生死之疑自決正行無惑何用衆謀議也

所謂陰陽者去者爲陰至者爲陽靜者爲陰動者爲陽遲者爲陰數者爲陽言脉動之中也凡持眞脉之藏脉者肝至懸絶急十八日死心至懸絶九日死肺至懸絶十二日死腎至懸絶七日死脾至懸絶四日死真脉之藏脉者謂真藏之脉也十八日者金木成數之餘也九日者水火生成數之餘也十二日者金火生成數之餘也七日者水土生數之餘也四日者木生數之餘也故平人氣象論曰肝見庚辛死心見壬癸死肺見丙丁死腎見戊己死脾見甲乙死者以此如是者皆至所期不勝而死也何者以不勝剋賊之氣也

曰二陽之病發心脾有不得隱曲女子不月

二陽謂陽明大腸及胃之脉也隱曲謂隱蔽委曲之事也夫腸胃發病心脾受之心受之則血不流脾受之則味不化血不流故女子不月味不化則男子少精是以隱蔽委曲之事不能爲也陰陽應象大論曰精不足者補之以味由是則味不化而精氣少也奇病論曰胞胎者繫於腎又評熱病論曰月事不來者胞脉閉胞脉者屬於心而絡於胞中今氣上迫肺心氣不得下通故月事不來則其義也又上古天眞論曰女子二七天癸至任脉通大衝脉盛月事以時下丈夫二八天癸至精氣溢瀉由此則在女子爲不月在男子爲少精

其傳爲風消其傳爲息賁者死不治

言其深久者也胃病深久傳入於脾故爲風熱以消削大腸病甚傳入於肺爲喘息而上

賁然腸胃脾肺兼及於心三藏二府互相剋薄故死不治【賁】音奔

曰三陽爲病發寒熱下爲癰腫及爲痿厥腨痟

三陽謂大腸小腸及膀胱之脉也小腸之脉起於手循臂繞肩髆上頭膀胱之脉從頭別下背貫臀入膕中循腨故在上爲病則發寒熱在下爲病則爲癰腫腨痟及爲痿厥痟痠疼也痿無力也厥足冷即氣逆也【腨】時兖反【痟】烏兖反【膕】古或反

其傳爲索澤其傳爲頹疝

熱甚則精血枯涸故皮膚潤澤之氣皆散盡也然陽氣下墜陰脉上爭上爭則寒多下墜則筋緩故睾垂縱緩内作頹疝【睾】臯

曰一陽發病少氣善欬善泄

一陽謂少陽膽及三焦之脉也膽氣乘胃故善泄三焦内病故少氣陽上熏肺故善欬何

故心火內應而然

其傳爲心掣其傳爲膈

膈氣乘心心熱故陽氣內掣三焦內結中熱故膈塞不便掣尺制反曳也

二陽一陰發病主驚駭背痛善噫善欠名曰風厥

一陰謂厥陰心主及肝之脉也心主之脉起於胷中出屬心經云心病膺背肩胛間痛又在氣爲噫故背痛善噫心氣不足則腎氣乘之肝主驚駭故驚駭善欠夫肝氣爲風腎氣凌逆既風又厥故名風厥

二陰一陽發病善脹心滿善氣

二陰謂少陰心腎之脉也腎膽同逆三焦不行氣稸於上故心滿下虛上盛故氣泄出也

三陽三陰發病爲偏枯痿易四支不舉

三陰不足則發偏枯三陽有餘則爲痿易易謂變易常用而痿弱無力也

鼓一陽曰鉤鼓一陰曰毛鼓陽勝急曰弦鼓陽至而絕曰石陰陽相過曰溜

言何以知陰陽之病脉耶一陽鼓動脉見鉤也何以然一陽謂三焦心脉之府然一陽鼓動者則鉤脉當之鉤脉則心脉也此言正見者也一陰厥陰肝木氣也毛肺金脉也金來鼓木其脉則毛金氣内乗木陽尚勝急而内見脉則爲弦也若陽氣至而急脉名曰弦屬肝陽氣至而或如斷絕脉名曰石屬腎陰陽之氣相過無能勝負則脉如水之溜也

陰爭於内陽擾於外魄汗未藏四逆而起起則熏肺使人喘鳴

若金鼓不已陽氣大勝兩氣相持內爭外擾則流汗不止手足反寒甚則陽氣內燔流汗不藏則熱攻於肺故起則熏肺使人喘鳴也

陰之所生和本曰和

陰謂五神藏也言五藏之所以能生而全天眞和氣者以各得自從其和性而安靜爾苟乖所適則爲他氣所乘百端之病由斯而起奉生之道可不慎哉

是故剛與剛陽氣破散陰氣乃消亡

剛謂陽也言陽氣內蒸外爲流汗灼而不已則陽勝又陽故盛不久存而陽氣自散陽已破敗陰不獨存故陽氣破散陰氣亦消亡此乃爭勝招敗也

淖則剛柔不和經氣乃絕

血淖者陽常勝視人之血淖者宜謹和其氣常使流通若不能深思寡欲使氣序乖違陽

為重陽內燔藏府則死且可待生其能久乎

死陰之屬不過三日而死

火乘金也

生陽之屬不過四日而死

木乘火也○新校正云按別本作四日而生全元起註作四日而已俱通詳上下文義作死者非

所謂生陽死陰者肝之心謂之生陽

母來親子故曰生陽匪惟以木生火亦自陽氣主生爾

心之肺謂之死陰

陰主刑殺火復乘金金得火亡故云死

肺之腎謂之重陰亦母子也以俱爲陰氣故曰重陰

腎之脾謂之辟陰死不治土氣辟併水乃可升土辟水升故云辟陰

結陽者腫四支以四支爲諸陽之本故

結陰者便血一升陰主血故

再結二升三結三升二盛謂之再結三盛謂之三結

陰陽結斜多陰少陽曰石水少腹腫

所謂失法

二陽結謂之消

二陽結謂胃及大腸俱熱結也腸胃藏熱則喜消水穀○新校正云詳此則少二陰結

三陽結謂之隔

三陽結謂小腸膀胱熱結也小腸結熱則血脉燥膀胱熱則津液涸故隔塞而不便寫

三陰結謂之水

三陰結謂脾肺之脉俱寒結也脾肺寒結則氣化爲水

一陰一陽結謂之喉痺

一陰謂心主之脉一陽謂三焦之脉也三焦心主脉並絡喉氣熱内結故爲喉痺痺音閉

陰搏陽別謂之有子

陰謂尺中也搏謂搏觸於手也尺脉搏擊與寸口殊別陽氣挺然則爲有任之兆何者陰中有別陽故別去聲

陰陽虛腸辟死

辟陰也然胃氣不留腸開勿禁陰中不禀是眞氣竭絶故死○新校正云按全元起本辟作避

陽加於陰謂之汗

陽在下陰在上陽氣上搏陰能固之則蒸而爲汗

陰虛陽搏謂之崩

陰脉不足陽脉盛搏則内崩而血流下

三陰俱摶二十日夜半死
脾肺成數之餘也摶謂伏鼓異於常候也陰氣盛極故夜半死

二陰俱摶十三日夕時死
心腎之成數也陰氣未極故死在夕時

一陰俱摶十日平旦死
肝心生成之數也

三陽俱摶且鼓三日死
陽氣速急故

三陰三陽俱摶心腹滿發盡不得隱曲五日死
兼陰氣也隱曲謂便寫也

二陽俱搏其氣溢死不治不過十日死

陽胃之生數也○新校正云詳此闕一陽搏

新刊補註釋文黄帝内經素問卷之一

[illegible]

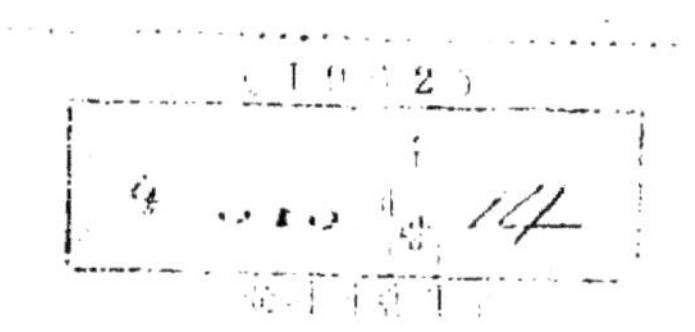

黄帝素問 二

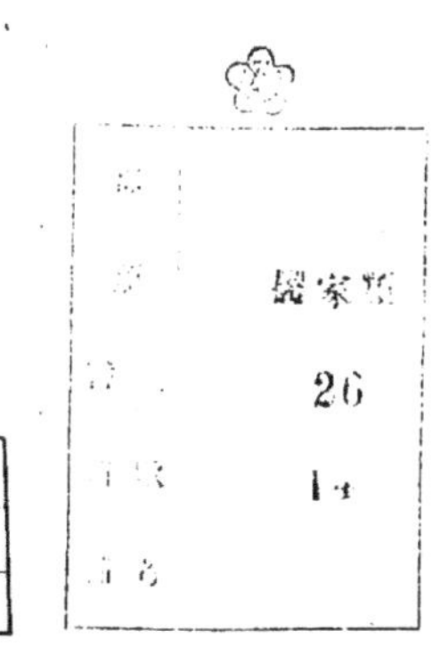

新刊補註釋文黄帝内經素問卷之二

○靈蘭秘典論篇第八

新校正云按全元起本名十二藏相使在第三卷

黄帝問曰願聞十二藏之相使貴賤何如

藏藏也言腹中之所藏者非復有卜二形神之藏也

岐伯對曰悉乎哉問也請遂言之心者君主之官也神明出焉

任治於物故爲君主之官清靜栖靈故曰神明出焉

肺者相傅之官治節出焉

位高非君故官爲相傅主行榮衛故治節由之

肝者將軍之官謀慮出焉
勇而能斷故曰將軍潛發未萌故謀慮出焉

膽者中正之官決斷出焉
剛正果決故官為中正直而不疑故決斷出焉

膻中者臣使之官喜樂出焉
膻中者在胸中兩乳間為氣之海然心主為君以敷宣教令膻中主氣以氣布陰陽氣和志適則喜樂由生分布陰陽故官為臣使也膻徒亶反

脾胃者倉廩之官五味出焉
包容五穀是為倉廩之官營養四傍故云五味出焉廩力甚反

大腸者傳道之官變化出焉

傳道謂傳不潔之道變化謂變化物之形故云傳道之官變化出焉

小腸者受盛之官化物出焉

承奉胃司受盛糟粕受已復化傳入大腸故云受盛之官化物出焉

腎者作強之官伎巧出焉

強於作用故曰作強造化形容故云伎巧在女則當其伎巧在男則正曰作強

三焦者決瀆之官水道出焉

引導陰陽開通閉塞故官司決瀆水道出焉

膀胱者州都之官津液藏焉氣化則能出矣

位當孤府故謂州都居下内空故藏津液若得氣海之氣施化則溲便注泄氣海之氣不及則閟隱不通故曰氣化則能出矣靈樞經曰腎上連肺故將兩藏膀胱是孤府則此之

謂也。溲，所鳩反，小便也。

凡此十二官者不得相失也

失則災害至，故不得相失。○新校正云：詳此乃十一官，脾胃二藏共一官故也。

故主明則下安，以此養生則壽，沒世不殆，以爲天下則大昌。

主謂君主，心之官也。夫主賢明則刑賞一，刑賞一則吏奉法，吏奉法則民不獲罪於枉濫矣。故主明則天下安也。夫心內明則銓善惡，銓善惡則察安危，察安危則身不夭傷於非道矣。故以此養生則壽，沒世不至於危殆矣。然施之於養生，沒世不殆，施之於君主，天下獲安，以其爲天下主，則國祚昌盛矣。

主不明則十二官危，使道閉塞而不通，形乃大

傷以此養生則殃以爲天下者其宗大危戒之

戒之使道謂神氣行使之道也夫心不明則邪正一邪正一則損益不分損益不分則動之凶咎隘身於羸瘠矣故形乃大傷以此養生則殃也夫主不明則委於左右委於左右則權勢妄行權勢妄行則吏不得奉法吏不得奉法則人民失所而皆受枉曲矣且人惟邦本本固邦寧本不獲安國將何有宗廟之立安可不至於傾危乎故曰戒之戒之者言深慎也瘠音藉

至道在微變化無窮孰知其原孰誰也言至道之用也小之則微妙而細無不入大之則廣遠而變化無窮然其淵源誰所知察

窘乎哉消者瞿瞿新校正云按大素作肖者濯濯音劬

孰知其要閔閔之當孰者爲良窘要也瞿瞿勤勤也人身之要者道也然以消息異同求諸物理而欲以此知變化之原本者雖瞿瞿勤勤以求明悟然其要妙誰得知乎既未得知轉成深遠閔閔玄妙復不知誰者爲善知其要妙哉玄妙深遠固不以理求而可得近取諸身則十二官粗可探尋而爲治身之道爾閔閔深遠也良善也○新校正云詳此四句與氣交變大論文重意同彼消字作肖字

恍惚之數生於毫氂恍惚者謂似有似無也忽亦數也似無似方而毫氂之數生其中老子曰恍恍惚惚其中

有物此之謂也筭書曰似有似無爲忽

毫氂之數起於度量千之萬之可以益大推之大之其形乃制

毫氂雖小積而不已命數乘之則起至於尺度斗量之繩準千之萬之亦可增益而至載之大數推引其大則應遍人形之制度也

黃帝曰善哉余聞精光之道大聖之業而宣明大道非齋戒擇吉日不敢受也

深敬故也韓康伯曰洗心曰齋防患曰戒

黃帝乃擇吉日良兆而藏靈蘭之室以傳保焉

祕之至也

○六節藏象論篇第九 新校正云按全元起註本在第三卷

黃帝問曰余聞天以六六之節以成一歲人以九九制會 新校正云詳下文云地以九九制會 計人亦有三百六十五節以為天地久矣不知其所謂也 六六之節謂六竟於六甲之日以成一歲之節限九九制會謂九九周於九野之數以制人形之會通也言人之三百六十五節以應天之六六之節久矣若復以九九為紀法則兩歲大半乃日一周不知其法真原安謂也○新校正云詳王註云兩歲太半乃日一周按

九九制會當云兩歲四分歲之一分日一周也

岐伯對曰昭乎哉問也請遂言之夫六六之節九九制會者所以正天之度氣之數也

六六之節天之度也九九制會氣之數也所謂氣數者生成之氣也周天之分凡三百六十五度四分度之一以十二節氣均之則歲有三百六十日而終兼之小月日又不足其數矣是以六十四氣而常置閏焉何者以其積差分故也天地之生育本阯於陰陽人神之運爲始終於九氣然九之爲用豈不大哉律書曰黃鍾之律管長九寸冬至之日氣應灰飛由此則萬物之生咸因於九氣矣古之九寸即今之七寸三分大小不同以其先非黍之制而有異也○新校正云按別本三分一作二分

天度者所以制日月之行也氣數者所以紀化

生之用也制謂準度紀謂綱紀準日月之行度者所以明日月之行遲速也紀化生之爲用者所以彰氣至而斯應也氣應無差則生成之理不替遲速以度而大小之月生焉故日異長短月移寒暑收藏生長無失時宜也

天爲陽地爲陰日爲陽月爲陰行有分紀周有道理日行一度月行十三度而有奇焉故大小月三百六十五日而成歲積氣餘而盈閏矣日行遲故晝夜行天之一度而三百六十五日一周天而猶有度之奇分矣月行速故晝夜行天之十三度餘而二十九日一周天也言有奇者謂十三度外復行十九分度之七故云月行十三度而有奇也禮義及漢律曆志云二十八宿及諸星皆從東而循天西行

日月及五星皆從西而循天東行今大史説云並循天而東行從東而西轉也諸曆家説月一日至四日月行最疾日夜行十四度餘自五日至八日行次疾日夜行十三度餘自九日至十九日其行遲日夜行十二度餘二十日至二十一日行又小疾日夜行十三度餘二十四日至晦日行又大疾日夜行十四度餘今太史説月行之率不如此矣月行有十五日前疾有十五日後遲者有十五日前遲有十五日後疾者大率一月四分之而皆有遲疾遲速之度固無常準矣雖爾終以二十七日月行一周天凡行三百六十一度二十九日日行二十九度月行三百八十七度少七度而不及日也至三十日日復遷計率至十二分日之八月方及日矣此大盡之月也大率其計率至十三分日之半者亦大盡法也其計率至十三分日之五之六而及日者小盡之月也故云大小月三百六十五日而成歲也正言之者三百六十五日四分日之一乃一歲然以奇不成日故舉大以言之

若通以大小爲法則歲止有三百五十四日歲少十一日餘矣取月所少之辰加歲外餘之日故從閏後三十二月而盈閏焉尚書曰朞三百有六旬有六日以閏月定四時成歲則其義也積餘盈閏者盖以月之大小不盡天道故也

立端於始表正於中推餘於終而天度畢矣

端首也始初也表彰示也正斗建也中月半也推退位也言立首氣於初節之日示斗建於月半之辰退餘閏於相望之後是以閏之前則氣不及月閏之後則月不及氣故常月之制建初立中閏月之紀無初無中縱曆有之皆他節氣也故曆無云其候閏某月節閏某月中也推終之義斷可知乎故曰立端於始表正於中推餘於終也由斯推日成閏故能令天度畢焉

帝曰余已聞天度矣願聞氣數何以合之岐伯

曰天以六六爲節地以九九制會新校正云詳篇首云人以九九制會

天有十日日六竟而周甲甲六復而終歲三百六十日法也十日謂甲乙丙丁戊己庚辛壬癸之日也十者天地之至數也易繫辭曰天九地十則其義也六十日而周甲子之數甲子六周而復始則終一歲之日是三百六十日之歲法非天道之數也此蓋十二月各三十日者若除小月其日又差也

夫自古通天者生之本本於陰陽其氣九州九竅皆通乎天氣通天謂元氣即天眞也然形假地生命惟天賦故奉生之氣通繫於天禀於陰陽而爲根

本也寶命全形論曰人生於地懸命於天天地合氣命之曰人四氣調神大論曰陰陽四時者萬物之終始也死生之本也又曰逆其根則伐其本壞其真矣此其義也九州謂冀兗青徐揚荊豫梁雍也然地列九州人施九竅精神往復氣與參同故曰九州九竅也靈樞經曰地有九州人有九竅則其義也先言其氣者謂天真之氣常繫屬於中也天氣不絕真靈內屬行藏動靜悉與天通故曰皆通乎天氣也

故其生五其氣三

形之所存假五行而運用徵其本始從三氣以生成故云其生五其氣三也氣之三者亦副三元故下文曰○新校正云詳夫自古通天者至此與生氣通天論同註頗異當兩觀之

三而成天三而成地三而成人

非惟人獨由三氣以生天地之道亦如是矣故易乾坤諸卦皆必三矣

三而三之合則爲九九分爲九野九野爲九藏

九野者應九藏而爲義也爾雅曰邑外爲郊郊外爲甸甸外爲牧牧外爲林林外爲坰坰外爲野則此之謂也○新校正云按今爾雅云邑外謂之郊郊外謂之牧牧外謂之野野外謂之林林外謂之坰與王氏所引有異

故形藏四神藏五合爲九藏以應之也

形藏四者一頭角二耳目三口齒四胸中也形分於外故以名焉神藏五者一肝二心三脾四肺五腎也神藏於內故以名焉所謂神藏者肝藏魂心藏神脾藏意肺藏魄腎藏志也故此二別爾○新校正云詳此乃宣明五氣篇文與生氣通天註重又與三部九候論註重所以名神藏形藏之說具三部九候論註

帝曰余已聞六六九九之會也夫子言積氣盈閏願聞何謂氣請夫子發蒙解惑焉請宣揚旨要啓所未聞解疑惑者之心開蒙昧者之耳令其曉達咸使深明

岐伯曰此上帝所祕先師傳之也上帝則上古帝君也先師岐伯祖之師僦貸季上古之理色脈者也移精變氣論曰上古使僦貸季理色脈而通神明八素經序云天師對黃帝曰我於僦貸季理色脈已三世矣言可知乎○新校正云詳素一作索或以八爲大按今太素無此文僦即就反

帝曰請遂聞之遂盡也岐伯曰五日謂之候三候謂之氣六氣謂之時四時謂之歲而各從其主治焉

日行天之五度則五日也三候正十五日也六氣凡九十日正三月也設其多之矣故十八候為六氣六氣謂之時也四時凡三百六十日故曰四時謂之歲也各從主治謂一歲之日各歸從五行之一氣而為之主治者也故下文曰

五運相襲而皆治之終朞之日周而復始時立氣布如環無端候亦同法故曰不知年之所加氣之盛衰虛實之所起不可以為工矣

五運謂五行之氣應天之運而主化者也襲謂承襲如嫡之承襲也言五行之氣父子相承主統一周之日常如是無已周而復始也時謂立春之前當至時也氣謂當王之脉氣也春前氣至脉氣亦至故曰時立氣布也候謂日行五度之候也言一候之日亦五氣相生而直之差則病矣移精變氣論曰上古使僦貸季理色脉而通神明合之金木水火土

四時八風六合不離其常此之謂也工謂工於修養者也言必明於此乃可横行天下矣○新校正云詳王註時立氣布謂立春前當至時當王之脉氣也按此正謂歲立四時時布六氣如環之無端故又曰候亦同法

帝曰五運之始如環無端其大過不及何如岐伯曰五氣更立各有所勝盛虛之變此其常也言盛虛之變見此乃天之常道爾

帝曰平氣何如岐伯曰無過者也不愆常候則無過也

帝曰大過不及柰何岐伯曰在經有也言玉機真藏論篇已具言五氣平和大過不及之旨也○新校正云詳王註言玉機真藏

論已具按本篇言脉之大過不及即不論運氣之大過不及與平氣當云氣交變大論五常政大論篇已具言也

帝曰何謂所勝岐伯曰春勝長夏長夏勝冬冬勝夏夏勝秋秋勝春所謂得五行時之勝各以氣命其藏

春應木木勝土長夏應土土勝水冬應水水勝火夏應火火勝金秋應金金勝木常如是矣四時之中加之長夏故謂得五行時之勝也所謂長夏者六月也土生於火長在夏中既長而王故云長夏也以氣命藏者春之木內合肝長夏土內合脾冬之水內合腎夏之火內合心秋之金內合肺故曰各以氣命其藏也命名也

帝曰何以知其勝岐伯曰求其至也皆歸始春

始春謂立春之日也春爲四時之長故候氣皆歸於立春前之日也

未至而至此謂太過則薄所不勝而乘所乘也

命曰氣淫不分邪僻内生工不能禁

此上十字文義不倫應古文錯簡次後五治下乃其義也今朱書之

至而不至此謂不及則所勝妄行而所生受病

所不勝薄之也命曰氣迫所謂求其至者氣至

之時也

凡氣之至皆謂立春前十五日乃候之初也未至而至謂所直之氣未應至而先期至也先期至而是氣有餘故曰太過至而不至謂所直之氣應至不至而後期至後期而至是氣不足故曰不及太過則薄所不勝而乘所勝不及則所勝妄行而所生受病所不勝薄

之者凡五行之氣我剋者爲所勝剋我者爲所不勝生我者爲所生假令肝木有餘是肺金不足金不制木故木太過木氣既餘則反薄肺金而乘於脾土矣故曰太過則薄所不勝而乘所勝也此皆五藏之氣內相淫併爲疾故命曰氣淫也餘太過例同之又如肝木氣少不能制土土氣無畏而遂妄行水被土凌故云所勝妄行而所生受病也肝木之氣不平肺金之氣自薄故曰所不勝薄之然木氣不平土金交薄相迫爲疾故曰氣迫也餘不及例皆同

謹候其時氣可與期失時反候五治不分邪僻內生工不能禁也

時謂氣至時也候其年則始於立春之日候其氣則始於四氣定期候其日則隨於候日故曰謹候其時氣可與期也反謂反背也五治謂五行所治主統一歲之氣也然不分五

治謬引八邪天真氣運亂未諳通人病之由安能精達故曰工不能禁也

帝曰有不襲乎

言五行之氣有不相承襲者乎

岐伯曰蒼天之氣不得無常也氣之不襲是謂非常非常則變矣

變謂變易天常也

帝曰非常而變柰何岐伯曰變至則病所勝則微所不勝則甚因而重感於邪則死矣故非其時則微當其時則甚也

言蒼天布氣尚不越於五行人在氣中豈不應於天道夫人之氣亂不順天常故有病死

之微矣左傳曰違天不祥此其類也假令木直之年有火氣至後二歲病矣土氣至後三歲病矣金氣至後四歲病矣水氣至後五歲病矣真氣不足復重感邪真氣內微故重感於邪則死也假令非王直年而氣相干者宜為微病不必內傷於神藏故非其時則微而且持也若當所直之歲則易中邪氣故當其直時則病疾甚也諸氣當其王者皆必受邪故曰非其時則微當其時則甚也通評虛實論曰非其時則生當其時則死當謂正直之年也

帝曰：善。余聞氣合而有形，因變以正名，天地之運，陰陽之化，其於萬物，孰少孰多，可得聞乎？新校正云：詳從前歧伯曰昭乎哉問也至此，全元起註本及太素並無，疑王氏之所補也。

歧伯曰：悉乎哉問也！天至廣不可度，地至大不

可量大神靈問請陳其方

言天地廣大不可度量而得之造化玄微豈可以人心而遍悉大神靈問讚聖深明㸌大說凡粗言綱紀故曰請陳其方

草生五色五色之變不可勝視草生五味五味之美不可勝極

言物生之衆稟化各殊目視口味尚無能盡之況於人心乃能包括耶

嗜欲不同各有所通

言色味之衆雖不可遍盡所由然人所嗜所發則自隨己心之所愛耳故曰嗜欲不同各有所通

天食人以五氣地食人以五味

天以五氣食人者臊氣湊肝焦氣湊心香氣湊脾腥氣湊肺腐氣湊腎也地以五味食人者酸味入肝苦味入心甘味入脾辛味入肺鹹味入腎也清陽化氣而上爲天濁陰成味而下爲地故天食人以氣地食人以味也陰陽應象大論曰清陽爲天濁陰爲地又曰陽爲氣陰爲味

五氣入鼻藏於心肺上使五色脩明音聲能彰五味入口藏於腸胃味有所藏以養五氣氣和而生津液相成神乃自生

心榮面色肺主音聲故氣藏於心肺上使五色脩潔分明音聲彰著氣爲水母故味藏於腸胃内養五氣五氣和化津液方生津液與氣相副化成神氣乃能生而宣化也

帝曰藏象何如

象謂所見於外可閱者也

岐伯曰心者生之本神之變也其華在面其充在血脈爲陽中之大陽通於夏氣

心者君主之官神明出焉然君主者萬物繫之以與亡故曰心者生之本神之變也火氣炎上故華在面也心養血其主脈故充在血脈也心王於夏氣合六陽以大陽居夏火之中故曰陽中之太陽通於夏氣也金匱真言論曰平旦至日中天之陽陽中之陽也○新校正云詳神之變全元起本并太素作神之處

肺者氣之本魄之處也其華在毛其充在皮爲陽中之太陰通於秋氣

肺藏氣其神魄其養皮毛故曰肺者氣之本魄之處華在毛充在皮也肺藏爲六陰之氣

主王於秋晝日爲陽氣所行位非陰處以太陰居於封分故曰陽中之太陰通於秋氣也金匱真言論曰日中至黃昏天之陽陽中之陰也○新校正云按太陰甲乙經并太素作少陰當作少陰肺在十二經雖爲太陰然在陽分之中當爲少陰也

腎者主蟄封藏之本精之處也其華在髮其充在骨爲陰中之少陰通於冬氣

地户封閉蟄虫深藏腎又主水受五藏六府之精而藏之故曰腎者主蟄封藏之本精之處也腦者髓之海腎主骨髓髮者腦之所養故華在髮充在骨也以盛陰居冬陰之分故曰陰中之少陰通於冬氣也金匱真言論曰合夜至雞鳴天之陰陰中之陰也○新校正云按全元起本并甲乙經太素少陰作太陰當作太陰腎在十二經雖爲少陰然在陰分之中當爲太陰

肝者罷極之本魂之居也其華在爪其充在筋以生血氣其味酸其色蒼新校正云詳此六字當去按太素心其味苦其色赤肺其味辛其色白腎其味鹹其色黑今惟肝脾二藏載其味其色據陰陽應象大論已著色味詳矣此不當出之今更不添心肺腎三藏之色味只去肝脾二藏之色味可矣其註中所引陰陽應象大論文四十一字亦當去之罷音疲

此為陽中之少陽通於春氣夫人之運動者皆筋力之所為也肝主筋其神魂故曰肝者罷極之本魂之居也爪者筋之餘筋者肝之養故華在爪充在筋也東方為發生之始故以生血氣也陰陽應象大論曰東方生風風生木木生酸肝合木故其味酸也又曰神在藏為肝在色為蒼故其色蒼

也以少陽居於陽位而王於春故曰陽中之少陽通於春氣也金匱真言論曰平旦至日中天之陽陽中之陽也○新校正云按全元起本并甲乙經太素作陰中之少陽當作陰中之少陽詳王氏引金匱真言論云平旦至日中天之陽陽中之陽也以爲證則王意以爲陽中之少陽也再詳上文心藏爲陽中之太陽王氏以引平旦至日中之說爲證今肝藏又引爲證反不引雞鳴至平旦天之陰陰中之陽爲證則王注之失可見當從全元起本及甲乙經太素作陰中之少陽爲得

脾胃大腸小腸三焦膀胱者倉廩之本營之居也名曰器能化糟粕轉味而入出者也

皆可受盛轉運不息故爲倉廩之本名曰器也營起於中焦中焦爲脾胃之位故云營之居也然水穀滋味入於脾胃脾胃糟粕轉化其味出於三焦膀胱故曰轉味而入出者也

其華在脣四白其充在肌其味甘其色黃

新校正云詳此六字當去并註中引陰陽應象大論文四十字亦當去已解在前條

此至陰之類通於土氣

口爲脾官脾主肌肉故曰華在脣四白充在肌也四白謂脣四際之白色肉也陰陽應象大論曰中央生濕濕生土土生甘甘脾合土故其味甘也又曰在藏爲脾在色爲黃故其色黃也脾藏土氣土合至陰故曰此至陰之類通於土氣也金匱真言論曰陰中之至陰脾也

凡十一藏取決於膽也

上從心藏下至於膽爲十一也然膽者中正剛斷無私偏故十一藏取決於膽也

故人迎一盛病在少陽二盛病在太陽三盛病

在陽明四盛已上爲格陽

陽脉法也少陽膽脉也太陽膀胱脉也陽明胃脉也靈樞經曰一盛而躁在手少陽二盛而躁在手太陽三盛而躁在手陽明手少陽三焦脉手太陽少腸脉手陽明太腸脉一盛者謂人迎之脉大於寸口一倍也餘盛同法四倍已上陽盛之極故格拒而食不得入也正理論曰格則吐逆

寸口一盛病在厥陰二盛病在少陰三盛病在太陰四盛已上爲關陰

陰脉法也厥陰肝脉也少陰腎脉也太陰脾脉也靈樞經曰一盛而躁在手厥陰二盛而躁在手少陰三盛而躁在手太陰手厥陰心包脉也手少陰心脉也手太陰肺脉也盛法同陽四倍已上陰盛之極故關閉而溲不得通也正理論曰閉則不得溺[illegible]小便也

人迎與寸口俱盛四倍已上為關格關格之脉羸不能極於天地之精氣則死矣俱盛謂俱大於平常之脉四倍也物不可以久盛盛極則衰敗故不能極於天地之精氣則死矣靈樞經曰陰陽俱盛不得相營故曰關格關格者不得盡期而死矣此之謂也○新校正云詳羸當作盈脉盛四倍已上非羸也乃盛極也古文羸與盈通用

○五藏生成篇第十新校正云詳全元起本在第九卷按此篇云五藏生成篇而不云論者蓋此篇直記五藏生成之事而無問荅論議之辭故不云論後不言論者義皆倣此

心之合脉也火氣動躁脉類齊同心藏應火故合脉也

其榮色也

火炎上而色赤故榮美於面而赤色○新校正云詳王以赤色爲面榮美未通大抵發見於面之色皆心之榮也豈專爲赤哉

其主腎也

主謂主與腎相畏也火畏於水水與爲官故畏於腎

肺之合皮也

金氣堅定皮象亦然肺藏應金故合皮也

其榮毛也

毛附皮革故外榮

其主心也

金畏於火火與爲官故主畏於心也

肝之合筋也

木性曲直筋體亦然肝藏應木故合筋也

其榮爪也

爪者筋之餘故外榮也

其主肺也

木畏於金金與爲官故主畏於肺也

脾之合肉也

土性柔厚肉體亦然脾藏應土故合肉也

其榮脣也

口爲脾之官故榮於脣脣謂四際白色之處非赤色也

其主肝也

土畏於木木與爲官故主畏於肝也

腎之合骨也

水性流濕精氣亦然骨通精髓故合骨也

其榮髮也

腦爲髓海腎氣主之故外榮髮也

其主脾也

木畏於土土與爲官故主畏於脾也

是故多食鹹則脉凝泣而變色

心合脉其榮色鹹益腎勝於心心不勝故脉凝泣而顏色變易也

多食苦則皮槁而毛拔

肺合皮其榮毛苦益心勝於肺肺不勝故皮枯槁而毛拔去也

多食辛則筋急而爪枯

肝合筋其榮爪辛益肺勝於肝肝不勝故筋急而爪乾枯也

多食酸則肉胝䐢而脣揭

脾合肉其榮脣酸益肝勝於脾脾不勝故肉胝䐢而脣皮揭舉也　胝丁尼反　䐢側救反

多食甘則骨痛而髮落

腎合骨其榮髮甘益脾勝於腎腎不勝故骨痛而髮墮落

此五味之所傷也

五味入口輸於腸胃而內養五藏各有所欲欲則互有所傷故下文曰

故心欲苦

合火故也

肺欲辛

合金故也

肝欲酸

合木故也

脾欲甘

合土故也

腎欲鹹

合水故也

此五味之所合也

各隨其欲而歸湊之

五藏之氣

新校正云按全元起本云此五味之合五藏之氣也連上文太素同

故色見青如草茲者死

茲滋也言如草初生之青色也

黄如枳實者死

色青黄也

黑如炲者死

炲謂炲煤也炲音苔

赤如衃血者死衃血謂敗惡凝聚之血色赤黑也衃音芳杯反

白如枯骨者死白而枯槁如乾骨之白也

此五色之見死也藏敗故見死色也三部九候論曰五藏已敗其色必夭夭必死矣此之謂也

青如翠羽者生赤如雞冠者生黃如蠏腹者生白如豕膏者生黑如烏羽者生此五色之見生也

皆謂光潤也色雖可變若見朦朧尤善矣故下文曰

生於心如以縞裹朱生於肺如以縞裹紅生於肝如以縞裹紺生於脾如以縞裹括樓實生於腎如以縞裹紫

是乃真見生色也縞白色紺薄青色

此五藏所生之外滎也

滎美色也

色味當五藏白當肺辛赤當心苦青當肝酸黃當脾甘黑當腎鹹

各當其所應而爲色味也

故白當皮赤當脉青當筋黃當肉黑當骨各當其所養之藏氣也

諸脉者皆屬於目脉者血之府宣明五氣篇曰久視傷血由此明諸脉皆屬於目也○新校正云按皇甫士安云九卷曰心藏脉脉舍神神明通體故云屬目

諸髓者皆屬於腦腦爲髓海故諸髓屬之

諸筋者皆屬於節筋氣之堅結者皆絡於骨節之間也宣明五氣篇曰久行傷筋由此明諸筋皆屬於節也

諸血者皆屬於心

血居脉內屬於心也八正神明論曰血氣者人之神然神者心之主由此故諸血皆屬於心也

諸氣者皆屬於肺

肺藏氣故也

此四支八谿之朝夕也

谿者肉之小會名也八谿謂肘膝腕也如是氣血筋脉互有盛衰故為朝夕矣

故人卧血歸於肝

肝藏血心行之人動則血運於諸經人靜則血歸於肝藏何者肝主血海故也

肝受血而能視

言其用也目為肝之官故肝受血而能視

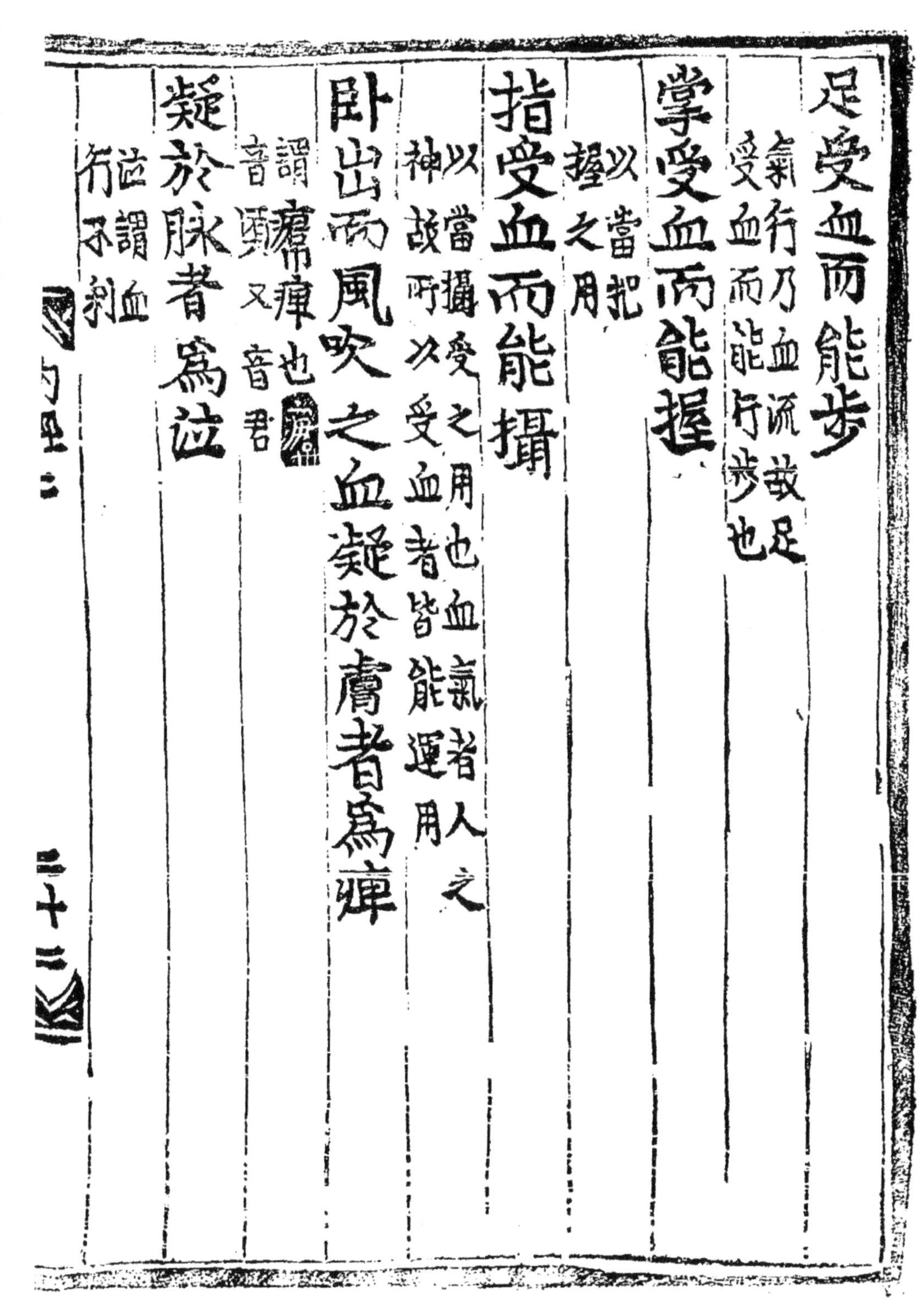

足受血而能步
氣行乃血流故足受血而能行步也
掌受血而能握
以當把握之用
指受血而能攝
以當攝受之用也血氣者人之神故所以受血者皆能運用
卧出而風吹之血凝於膚者爲痺
謂𤻲痺也𤻲音頑又音君
凝於脉者爲泣
泣謂血行不利

凝於足者爲厥

厥謂足逆冷也

此三者血行而不得反其空故爲痺厥也

空者血流之道大經隧也隧音遂

人有大谷十二分

大經所會謂之大谷也十二分者謂十二經脉之部分

小谿三百五十四名少十二俞

小絡所會謂之小谿也然以三百六十五小絡言之者除十二俞外則當三百五十三名經言三百五十四者傳寫行書誤以三爲四也○新校正云按别本及全元起本太素俞作關

此皆衛氣之所留止邪氣之所容也

衛氣滿填以行邪氣不得居止衛氣﹝亦﹞決留止則爲邪氣所容故言邪氣所容

鍼石緣而去之

緣謂夤緣行去之貌言邪氣所容衛氣留止鍼其谿谷則邪氣夤緣隨脉而行去也

診病之始五決爲紀

五決謂以五藏之脉爲決生死之綱紀也

欲知其始先建其母

建立也母謂應時之王氣也先立應時王氣而後乃求邪正之氣也

所謂五決者五脉也

謂五藏脉也

是以頭痛巔疾下虛上實過在足少陰巨陽甚則入腎

足少陰腎脉巨陽膀胱脉膀胱之脉者起於目內眥上額交巔上其支別者從巔至耳上角其直行者從巔入絡腦還出別下項循肩髆內俠脊抵腰中入循膂絡腎屬膀胱然腎虛而不能引巨陽之氣故頭痛而爲上巔之疾也經病甚已則入於藏矣

徇蒙招尤目冥耳聾下實上虛過在足少陽厥陰甚則入肝

徇疾也蒙不明也言目暴疾而不明招謂掉也搖掉不定也尤甚也目疾不明首掉尤甚謂暴病也目冥耳聾謂漸病也足少陽膽脉厥陰肝脉也厥陰之脉從少腹上俠胃屬肝絡膽貫鬲布脇肋循喉嚨之後入頏顙上出額與督脉會於巔其支別者從目系下頰裏

足少陽之脉起於目銳眥上抵頭角下耳後循頸入缺盆其支別者從耳後入耳中又支別者別目銳眥下顴加頰車下頸合缺盆以下胷中貫鬲絡肝屬膽今氣不足故爲是病義○新校正云按王註徇蒙言目暴疾而不明義未甚顯徇蒙者蓋謂目瞼瞤動疾數而蒙暗又少陽之脉下顴甲乙經作下頰[頏]胡良反[顙]蘇朗反[眥][illegible]帝反[觿]音攜

腹滿䐜脹支鬲胠脇下厥上冒過在足太陰陽明

胠謂脇上也下厥上冒者謂氣從下逆上而冒於目也足太陰脾脉陽明胃脉也足太陰脉自股內前廉入腹屬脾絡胃上鬲足陽明脉起於鼻交於頞下循鼻外下絡頤頷從頰龍入缺盆屬胃絡脾其直行者從缺盆下乳內廉下俠臍入氣街中其支別者起胃下口循腹裏至氣街中而合以下髀故爲是病[胠]去魚反[髀]音脾

欬嗽上氣厥在胷中過在手陽明太陰

手陽明大腸脉太陰肺脉也手陽明脉自肩髃前廉上出於柱骨之會上下入缺盆絡肺下鬲屬大腸手太陰脉起於中焦下絡大腸還循胃口上鬲屬肺從肺系橫出腋下故爲欬嗽上氣厥在胷中也○新校正云按甲乙經厥作病

心煩頭痛病在鬲中過在手巨陽少陰

手巨陽小腸脉少陰心脉也巨陽之脉從肩上入缺盆絡心循咽下鬲抵胃屬小腸其支別者從缺盆循頸上頰至目銳眥手少陰之脉起於心中出屬心系下鬲絡小腸故心煩頭痛病在膈中也○新校正云按甲乙經云胷中痛支滿腰背指引而痛過在手少陰太陽也

夫脉之小大滑濇浮沉可以指別

夫脉小者細小大者滿大滑者往來流利濇
者往來蹇難浮者浮於手下沉者按之乃得
也如是雖衆狀不同然手
巧心諦而指可分别也

五藏之象可以類推

象謂氣象也言五藏雖隱而不見然其氣象
性用猶可以物類推之何者肝象木而曲直
心象火而炎上脾象土而安靜肺象金而剛
决腎象水而潤下夫如是皆大舉宗兆其中
隨事變化象法傍通者
可以同類而推之爾

五藏相音可以意識

音謂五音也夫肝音角心音徵脾音宫肺音
商腎音羽此其常應也然其互相勝負聲見
否臧則耳聰心敏者
猶可以意識而知之

五色微診可以目察

色謂顏色也夫肝色青心色赤脾色黃肺色白腎色黑此其常色也然其氣象交互微見吉凶則目明智遠者可以占視而知之

能合脉色可以萬全

色青者其脉弦色赤者其脉鉤色黃者其脉代色白者其脉毛色黑者其脉堅此其常色脉也然其參校異同斷言成敗則審而不惑萬舉萬全色脉之病例如下說

赤脉之至也喘而堅診曰有積氣在中時害於食名曰心痺

喘謂脉至如卒喘狀也藏居高病則脉爲喘狀故心肺二藏而獨言之爾喘爲心氣不足堅則病氣有餘心脉起於心胸之中故積氣在中時害於食也積謂病氣積聚痺謂藏氣不宣行也

得之外疾思慮而心虛故邪從之

思慮心虛故外邪因之而居止矣

白脉之至也喘而浮上虛下實驚有積氣在胷中喘而虛名曰肺痺寒熱

喘為不足浮者肺虛肺不足是謂心虛上虛則下當滿實矣以其不足故善驚而氣積胷中矣然脉喘而浮是肺自不足是喘而虛者是心氣上乘肺受熱而氣不得營故名肺痺而外為寒熱也

得之醉而使內也

酒味苦燥內益於心醉甚入房故心氣上勝於肺矣

青脉之至也長而左右彈有積氣在心下支胠

名曰肝痺脉長而彈是爲弦緊緊爲寒氣中濕乃弦肝主胠脇近於心故氣積心下又支胠也正理論脉名例曰緊脉者如切繩狀言左右彈人手也

得之寒濕與疝同法腰痛足清頭痛脉緊爲寒脉長爲濕之爲病亦寒濕所生故言與疝同法也寒濕在下故腰痛也肝脉者起於足上行至頭出額與督脉會於巔故病則足冷而頭痛也清亦冷也[illegible]所晏反

黃脉之至也大而虛有積氣在腹中有厥氣名曰厥疝脉大爲氣脉虛爲虛既氣又虛故脾氣積於腹中也若腎氣逆上則是厥疝腎氣不上則但虛而脾氣積也

女子同法得之疾使四支汗出當風

女子同法言同其候也風氣通於肝故汗出當風則脾氣積滿於腹中

黑脉之至也上堅而大有積氣在小腹與陰名曰腎痺

上謂寸口也腎主下焦故氣積聚於小腹與陰也

得之沐浴清水而卧

濕氣傷下自歸於腎况沐浴而卧得無病乎靈樞經曰身半以下濕之中也

凡相五色之奇脉面黄目青面黄目赤面黄目白面黄目黑者皆不死也

奇脉謂與色不相偶合也凡色見黄皆爲有胃氣故不死也○新校正云按甲乙經無之

奇脉三字

面青目赤面赤目白面青目黑面黑目白面赤目青皆死也

無黄色而皆死者以無胃氣也五藏以胃氣爲本故無黄色皆曰死焉

○五藏别論篇第十一

新校正云按全元起本在第五卷

黄帝問曰余聞方士或以腦髓爲藏或以腸胃爲藏或以爲府敢問更相反皆自謂是不知其道願聞其説

方士謂明悟方術之士也言互爲藏府之差異者經中猶有之矣靈蘭秘典論以腸胃爲

十二藏相使之次六節藏象論云十一藏取決於膽五藏生成篇云五藏之象可以類推五藏相音可以意識此則互相矛楯爾腦髓爲藏應在別經【楯】脣允反

岐伯對曰腦髓骨脉膽女子胞此六者地氣之所生也皆藏於陰而象於地故藏而不寫名曰奇恒之府

腦髓骨脉雖名爲府不正與神藏爲表裏膽與肝合而不同六府之傳寫能雖出納納則受納精氣出則化出形容形容之出謂化極而生然出納之用有殊於六府故言藏而不寫名曰奇恒之府也

夫胃大腸小腸三焦膀胱此五者天氣之所生也其氣象天故寫而不藏此受五藏濁氣名曰

傳化之府此不能久留輸寫者也言水穀入已糟粕變化而泄出不能久久留住於中但當化已輸寫令去而已傳寫諸化故曰傳化之府也

魄門亦為五藏使水穀不得久藏謂之門也内通於肺故曰魄門受已化物則爲五藏行使然水穀亦不得久藏於中

所謂五藏者藏精氣而不寫也故滿而不能實精氣爲滿水穀爲實但藏精氣故滿而不能實○新校正云按全元起本及甲乙經太素精氣作精神

六府者傳化物而不藏故實而不能滿也以不藏精氣但受水穀故也

所以然者水穀入口則胃實而腸虛以未下也食下則腸實而胃虛水穀下也故曰實而不滿滿而不實也帝曰氣口何以獨爲五藏主氣口則寸口也亦謂脉口以寸口可候氣之盛衰故云氣口可以切脉之動靜故云脉口皆同取於手魚際之後同身寸之一寸是則寸口也

岐伯曰胃者水穀之海六府之大源也人有四海水穀之海則其一也受水穀已榮養四傍以其營運化之源故爲六府之大源

也

五味入口藏於胃以養五藏氣氣口亦太陰也氣口在手魚際之後同身寸之一寸氣口之所候脉動者是手太陰脉氣所行故言氣口亦太陰也

是以五藏六府之氣味皆出於胃變見於氣口滎氣之道内穀爲實○新校正云詳此註出靈樞實作寶○穀入於胃氣傳與肺精專者循肺氣行於氣口故云變見於氣口也○新校正云按全元起本出作入

故五氣入鼻藏於心肺心肺有病而鼻爲之不利也凡治病必察其下適其脉觀其志意與其病也

下謂目下所見可否也調適其脈之盈虛觀量志意之邪正及病深淺成敗之宜乃守法以治之也○新校正云按太素作必察其上下適其脈候觀其志意與其病能

拘於鬼神者不可與言至德

志意邪則好祈禱言至德則事必違故不可與言至德也

惡於鍼石者不可與言至巧

惡於鍼石則巧不得施故不可與言至巧㊀惡音汚

病不許治者病必不治治之無功矣

心不許人治之是其必死強為治者功亦不成故曰治之無功矣

○異法方宜論篇第十二

新校正云按全元起本在第九卷

黄帝問曰醫之治病也一病而治各不同皆愈何也

不同謂鍼石灸焫毒藥導引按蹻也

岐伯對曰地勢使然也

謂法天地生長收藏及高下燥濕之勢

故東方之域天地之所始生也

法春氣也

魚鹽之地海濵傍水

魚鹽之地海之利也濵水際也隨業近之

其民食魚而嗜鹹皆安其處美其食

豐其利故居安恣其味故食美

魚者使人熱中鹽者勝血

魚發瘡則熱中之信鹽發渴則勝血之徵

故其民皆黑色踈理其病皆爲癰瘍

血弱而熱故喜爲癰瘍

其治宜砭石

砭石謂以石爲鍼也山海經曰高氏之山有石如玉可以爲鍼則砭石也○新校正云按氏一作伐

故砭石者亦從東方來

東人今用之

西方者金玉之域沙石之處天地之所收引也法秋氣也引謂牽引使收斂也

其民陵居而多風水土剛強居室如陵故曰陵居金氣肅殺故水土剛強也○新校正云詳大抵西方地高民居高陵故多風也不必室如陵矣

其民不衣而褐薦其民華食而脂肥不衣絲綿故曰不衣褐謂毛布也薦謂細草也華謂鮮美酥酪骨肉之類也以食鮮美故人體脂肥

故邪不能傷其形體其病生於內水土剛強飲食脂肥膚腠閉封血氣充實故邪不能傷也內謂喜怒悲憂恐及飲食男女

之過甚也○新校正云詳悲一作思當作思已具陰陽應象大論註中

其治宜毒藥

能攻其病則謂之毒藥以其血氣盛肌肉堅飲食華水土強故病宜毒藥方制御之藥謂草木虫魚鳥獸之類皆能除病者也

故毒藥者亦從西方來

西人方術令奉之

北方者天地所閉藏之域也其地高陵居風寒冰冽

法冬氣也

其民樂野處而乳食藏寒生滿病

水寒冰冽故生病於藏寒也○新校正云按甲乙經無滿字

其治宜灸焫

火艾燒灼謂之灸焫

故灸焫者亦從北方來

北人正行其法

南方者天地所長養陽之所盛處也其地下水土弱霧露之所聚也

法夏氣也地下則水流歸之水多故土弱而霧露聚

其民嗜酸而食胕

言其所食不芬香○新校正云按全元起云食魚也

故其民皆緻理而赤色其病攣痺酸味收斂故人皆肉理密緻陽盛之處故色赤濕氣內滿熱氣外薄故筋攣脉痺也

其治宜微鍼微細小也細小之鍼調脉衰盛也

故九鍼者亦從南方來南人盛崇之

中央者其地平以濕天地之所以生萬物也衆法土德之用故生物衆然東方海南方下西方北方高中央之地平以濕則地形斯異生病殊焉

其民食雜而不勞

四方輻輳而萬物交歸故人食紛雜而不勞也

故其病多痿厥寒熱

濕氣在下故多病痿弱氣逆及寒熱也陰陽應象大論曰地之濕氣感則害皮肉筋脉居近於濕故爾

其治宜導引按蹻

導引謂搖筋骨動支節按謂抑按皮肉蹻謂捷舉手足

故導引按蹻者亦從中央出也

中人用爲養神調氣之正道也

故聖人雜合以治各得其所宜

隨方而用各得其宜惟聖人法乃能然矣

故治所以異而病皆愈者得病之情知治之大體也

達性懷故然一

○移精變氣論篇第十三

新校正云按全元起本在第二卷

黃帝問曰余聞古之治病惟其移精變氣可祝由而已今世治病毒藥治其內鍼石治其外或愈或不愈何也

移謂移易變謂變改皆使邪不傷正精神復強而內守也生氣通天論曰聖人傳精神服天氣上古天眞論曰精神內守病安從來

岐伯對曰往古人居禽獸之間動作以避寒陰居以避暑內無眷慕之累外無伸宦之形新校正云按全元起本伸作更此恬憺之世邪不能深入也故毒藥不能治其內鍼石不能治其外故可移情祝由而已古者巢居穴處夕隱朝遊禽獸之間斷可知矣然動躁陽盛故身熱足以禦寒凉氣生寒故陰居可以避暑矣夫志捐思想則內無眷慕之累心亡願欲故外無伸宦之形靜保天真自無邪勝是以移精變氣無假毒藥祝說病由不勞鍼石而已○新校正云按全元起云祝由南方神

當今之世不然

情慕云爲遠於道也

憂患緣其内苦形傷其外又失四時之從逆寒暑之宜賊風數至虚邪朝夕内至五藏骨髓外傷空竅肌膚所以小病必甚大病必死故祝由不能已也帝曰善余欲臨病人觀死生决嫌疑欲知其要如日月光可得聞乎岐伯曰色脉者上帝之所貴也先師之所傳也

上帝謂上古之帝先師謂岐伯祖世之師僦貸季也

上古使僦貸季理色脉而通神明合之金木水火土四時八風六合不離其常

先師以色白脉毛而合金應秋以色青脉弦而合木應春以色黒脉石而合水應冬以色赤脉洪而合火應夏以色黄脉代而合土應長夏及四季然以是色脉下合五行之休王上副四時之往來故六合之間八風鼓折不離常候盡可與期何者以見其變化而知之也故下文曰

變化相移以觀其妙以知其要欲知其要則色脉是矣

言所以知四時五行之氣變化相移之要妙者何以色脉故也

色以應日脉以應月常求其要則其要也

言脉應月色應日者占候之期準也常求色脉之差忒是則平人之診要也

夫色之變化以應四時之脉此上帝之所貴以

合於神明也所以遠死近生

觀色脉之藏否曉死生之幾悉故能常遠於死而近於生也

生道以長命曰聖王

上帝聞道勤而行之生道以長惟聖王乃爾而常用也

中古之治病至而治之湯液十日以去八風五痺之病

八風謂八方之風五痺謂皮肉筋骨脉之痺也靈樞經曰風從東方來名曰嬰兒風其傷人也外在於筋紐內舍於肝風從東南來名曰弱風其傷人也外在於肌肉舍於胃風從南方來名曰大弱風其傷人也外在於脉內舍於心風從西南來名曰謀風其傷人也外在於肉內舍於脾風從西方來名曰剛風其傷人也外在於皮肉舍於肺風從西北來名

曰折風其傷人也外在於手太陽之脉內舍於小腸風從北方來名曰大剛風其傷人也外在於骨內舍於腎風從東北來名曰凶風其傷人也外在於腋脇內舍於大腸又曰痺論註曰以春甲乙傷於風者爲筋痺以夏丙丁傷於風者爲脉痺以秋庚辛傷於風者爲皮痺以冬壬癸傷於邪者爲骨痺以至陰遇此者爲肉痺是所謂八風五痺之病也○新校正云按此註引痺論今經中痺論不如此當云風論曰以春甲乙傷於風者爲肝風以夏丙丁傷於風者爲心風季夏戊己傷於邪者爲脾風以秋庚辛中於邪者爲肺風以冬壬癸中於邪者爲腎風痺論曰風寒濕三氣雜至合而爲痺以冬遇此者爲骨痺以春遇此者爲筋痺以夏遇此者爲脉痺以至陰遇此者爲肌痺以秋遇此者爲皮痺

十日不已治以草蘇草荄之枝本末爲助標本已得邪氣乃服

草蘇謂藥煎也草荄謂草根也枝謂莖也言以諸藥根苗合成其煎俾相佐助而以服之九藥有用根者有用莖者有用枝者有用華實者有用根莖枝華實者湯液不去則盡用之故云本末爲助也標本已得邪氣乃服者言工人與病主療相應則邪氣率服而隨時順也湯液醪醴論曰病爲本工爲標標本不得邪氣不服此之謂主療不相應也或謂取標本論末云鍼也○新校正云按全元起本又云得其標本邪氣乃散矣

暮世之治病也則不然治不本四時不知日月不審逆從

四時之氣各有所在不本其處而即妄攻是反古也四時刺逆從論曰春氣在經脉夏氣在孫絡長夏氣在肌肉秋氣在皮膚冬氣在骨髓工當各隨所在而辟伏其邪爾不知日月者謂日有寒溫明暗月有空滿虧盈也八正神明論曰凡刺之法必候日月星辰四時

八正之氣氣定乃刺之是故天温日明則人血淖液而衛氣浮故血易寫氣易行天寒日陰則人血凝泣而衛氣沉月始生則血氣始精衛氣始行月郭滿則血氣盛肌肉堅月郭空則肌肉減經絡虚衛氣去形獨居是以因天時而調血氣也是故天寒無刺天温無凝月生無寫月滿無補月郭空無治是謂得時而調之因天之序盛虚之時移光定位正立而待之故日月生而寫是謂藏虚月滿而補血氣盈溢絡有流血命曰重實月郭空而治是謂亂經陰陽相錯眞邪不別沉以留止外虚内亂淫邪乃起此之謂也不審逆從者謂不審量其病可治與不可治也故下文曰

病形已成乃欲微鍼治其外湯液治其内

言心意粗略不精審也

粗工兇兇以爲可攻故病未已新病復起

粗謂粗略也兇兇謂不量事宜之可否也何以言之假令飢入形氣羸劣食令極飽能不霍乎豈其與食而為惡邪蓋為失時復過節也非病逆鍼石湯液失時過節則其害反譖矣○新校正云按別本霍一作害

帝曰願聞要道岐伯曰治之要極無失色脉用之不惑治之大則

惑謂惑亂則謂法則也言色脉之應昭然不欺但順用而不亂紀綱則治病審當之大法也

逆從到行標本不得亡神失國

逆從到行謂反順為逆標本不得謂工病失宜也夫以反理到行所為非順豈惟治人而神氣受害若使之輔佐君主亦令國祚不保康寧矣

去故就新乃得眞人標本不得工病失宜則當去故逆理之人就新明悟之士乃得至真精曉之人以全已也

帝曰余聞其要於夫子矣夫子言不離色脉此余之所知也岐伯曰治之極於一帝曰何謂一

岐伯曰一者因得之因問而得之也

帝曰奈何岐伯曰閉戶塞牖繫之病者數問其情以從其意問其所欲而察是非也

得神者昌失神者亡帝曰善

○湯液醪醴論篇第十四

新校正云按全元起本在第五卷

黃帝問曰爲五穀湯液及醪醴柰何

液謂清液醪醴謂酒之屬也

岐伯對曰必以稻米炊以稻薪稻米者完稻薪者堅

堅謂資其堅勁完謂取其完全完全則酒清冷堅勁則氣迅疾而效速也

帝曰何以然

言何以能完堅邪

岐伯曰此得天地之和高下之宜故能至完伐

取得時故能至堅也

夫稻者生於陰水之精首戴天陽之氣二者和合然乃化成故云得天地之和而能至完秋氣勁切霜露凝結稻以冬採故云伐取得時而能至堅

帝曰上古聖人作湯液醪醴爲而不用何也岐伯曰自古聖人之作湯液醪醴者以爲備耳

言聖人懸念生靈先防萌漸陳其法制以備不虞耳

夫上古作湯液故爲而弗服也

聖人不治已病治未病故但爲備用而不服也

中古之世道德稍衰邪氣時至服之萬全

雖道德稍衰邪氣時至以心猶近道故服用萬全也

帝曰今之世不必已何也

言不必如中古之世何也

岐伯曰當今之世必齊毒藥攻其中鑱石鍼艾治其外也

言法殊於往古也

帝曰形弊血盡而功不立者何岐伯曰神不使也帝曰何謂神不使岐伯曰鍼石道也

言神不能使鍼石之妙用也何者志意違背於師爾故也

精神不進志意不治故病不可愈

勢離於道耗散天真故爾○新校正云按全元起本云精神進志意定故病可愈太素云

精神越志意散故病不可愈

今精壞神去榮衛不可復收何者嗜欲無窮而憂患不止精氣弛壞榮泣衛除故神去之而病不愈也

精神者生之源榮衛者氣之主氣主不輔生源復消神不內居病何能愈哉

帝曰夫病之始生也極微極精必先入結於皮膚今良工皆稱曰病成名曰逆則鍼石不能治良藥不能及也今良工皆得其法守其數親戚兄弟遠近音聲日聞於耳五色日見於目而病不愈者亦何暇不早乎

新校正云按別本暇一作謂

岐伯曰病爲本工爲標標本不得邪氣不服此之謂也

言醫與病不相得也然工人或親戚兄弟該明情疑勿用工先備識不謂知方鍼艾之妙靡容藥石之攻匪頑知是則道雖昭著萬舉萬全病不許治欲實爲療五藏別論曰拘於鬼神者不可與言至德惡於鍼石者不可與言至巧病不許治者病必不治治之無功此皆謂工病不相得邪氣不賓服也豈惟鍼艾之有惡我藥石亦有之矣○新校正云按發精變氣論曰標本已得邪氣乃服

帝曰其有不從毫毛而生五藏陽以竭也

新校正云按全元起本及太素陽作傷義亦通

津液充郭其魄獨居孤精於內氣耗於外形不可與衣相保此四極急而動中是氣拒於內而形施於外治之奈何

下從毫毛言生於內也陰氣內盛陽氣竭絕不得入於腹中故言五藏陽以竭也津液者水也充滿也郭皮也陰稸於中水氣脹滿上攻於肺肺氣孤危魄者肺神腎為水害子不救母故云其魄獨居也夫陰精損削於內陽氣耗減於外則三焦閉溢水道不通水滿皮膚身體否腫故云形不可與衣相保也凡此之類皆四支脉數急而內鼓動於肺中也肺動者謂氣急而欬也言是者皆水氣格拒於腹膜之內浮腫施張於身形之外欲窮標本其可得乎四極言四末則四支也左傳曰風淫末疾靈樞經曰陽受氣於四末○新校正云詳形施於外施字疑誤

岐伯曰平治於權衡去宛陳莝新校正云按太素莝作莖

是以微動四極溫衣繆刺其處以復其形開鬼門潔淨府精以時服五陽已布疎滌五藏故精自生形自成骨肉相保巨氣乃平

平治權衡謂察脈浮沉也脈浮爲在表脈沉爲在裏在裏者泄之在外者汗之故下文云開鬼門潔淨府也去宛陳莝謂去積久之木物猶如草莝之不可久留於身中也全本作草莖微動四極謂微動四支令陽氣漸以宣行故又曰溫衣也經脈滿則絡脈溢絡脈溢則繆刺之以調其絡脈使形容如舊而不腫故云繆刺其處以復其形也開鬼門是啓玄府遺氣也五陽是五藏之陽氣也潔淨府謂寫膀胱水去也脈和則五精之氣以時賓服

内經二　四十二

於腎藏也然五藏之陽漸而宣布五藏之外氣穢復除也如是故精髓自生形肉自盛藏府既和則骨肉之氣更相保拒大經脉氣然乃平復爾

帝曰善

○玉版論要篇第十五

新校正云按全元起本在第二卷

黄帝問曰余聞揆度奇恒所指不同用之柰何岐伯對曰揆度者度病之淺深也奇恒者言奇病也請言道之至數五色脉變揆度奇恒道在於一

一謂色脉之應也知色脉之應則可以揆奇恒矣○新校正云按全元起本請作謂

神轉不回回則不轉乃失其機

血氣者神氣也八正神明論曰血氣者人之神不可不謹養也夫血氣應順四時遞遷囚王循環五氣無相奪倫是則神轉不回也回謂却行也然血氣隨王不合却行却行則反常反常則回而不轉也回而不轉乃失生氣之機矣何以明之夫木衰則火王火衰則土王土衰則金王金衰則水王水衰則木王終而復始循環此之謂神轉不回也若木衰水王水衰金王金衰土王土衰火王火衰木王此之謂回而不轉也然反天常軌生之何有耶

至數之要迫近以微

言五色五脉變化之要道迫近於天常而又微妙

著之玉版命曰合玉機

玉機篇名也言以此回轉之要旨著之玉版合同於玉機論文也。新校正云詳道之至數至此與玉機真藏論文相重註頗不同

容色見上下左右各在其要

容色者他氣也如肝木部内見赤黃白黑色皆謂他氣也餘藏率如此例所見皆在明堂上下左右要察候處故云各在其要。新校正云按全元起本容作客視色之法具在甲乙經中

其色見淺者湯液主治十日已

色淺則病微故十日乃已

其見深者必齊主治二十一日已

色深則病甚故必終齊乃已

其見大深者醪酒主治百日已

病深甚故日多

色夭面脫不治

色見大深兼之夭惡面肉又脫不可治也

百日盡已

色不夭面不脫治之百日盡可已○新校正云詳色夭面脫雖不治然期當百日乃已盡也

脉短氣絕死

脉短已虛加之漸絕眞氣將竭故必死

病溫虛甚死

甚虛而病溫溫氣内涸其精血故死

色見上下左右各在其要上爲逆下爲從

色見於下者病生之氣也故從色見於上者傷神之兆也故逆

女子右爲逆左爲從男子左爲逆右爲從

左爲陽故男子右爲從而左爲逆右爲陰故女子右爲逆而左爲從

易重陽死重陰死

女子色見於左男子色見於右是變易也男子色見於左是曰重陽女子色見於右是曰重陰氣極則反故皆死也

陰陽反他

新校正云按陰陽應象大論云陰陽反作

治在權衡相奪奇恒事也揆度事也

權衡相奪謂陰陽二氣不得高下之宜是奇於恒常之事當揆度其氣隨宜而處療之

搏脉痹躄寒熱之交

脉擊搏於手而病瘧痹及攣躄者皆寒熱之氣交合所為非邪氣虛實之所生也

脉孤為消氣虛泄為奪血

夫脉有表無裏有裏無表皆曰孤亡之氣也若有表有裏而氣不足者皆曰虛衰之氣也

孤為逆虛為從

孤無所依故曰逆虛衰可復故曰從

行奇恒之法以太陰始

凡揆度奇恒之法先以氣口太陰之脉定四時之正氣然後度量奇恒之氣也

行所不勝曰逆逆則死木見金脉金見火脉火見水脉水見土脉土見木脉如是皆行所不勝也故曰逆賊勝不已故逆則死焉

行所勝曰從從則活木見水火土脉火見金土木脉土見金水火脉金見土木水脉水見金火木脉如是者皆可勝之脉故曰從從則無所剋殺傷敗故從則活也

八風四時之勝終而復始以不越於五行故雖相勝猶循環終而復始也

逆行一過不復可數論要畢矣過謂遍也然逆行一過遍於五氣者不復可數為平和矣

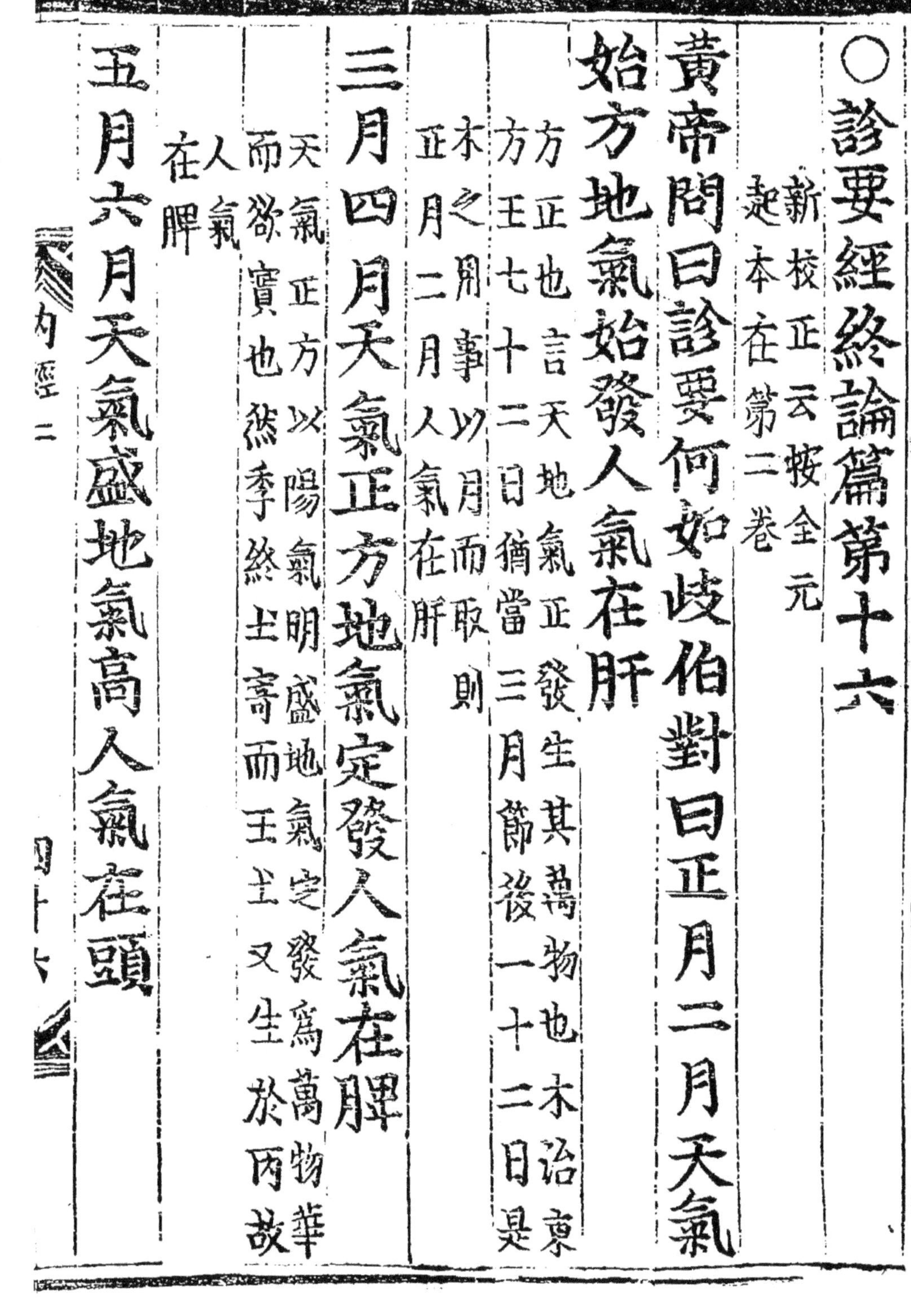

○診要經終論篇第十六

新校正云按全元起本在第二卷

黃帝問曰診要何如岐伯對曰正月二月天氣始方地氣始發人氣在肝

方正也言天地氣正發生其萬物也木治東方王七十二日猶當三月節後一十二日是木之用事以月而取則正月二月人氣在肝

三月四月天氣正方地氣定發人氣在脾

天氣正方以陽氣明盛地氣定發為萬物華而欲實也然季終土寄而王土又生於丙故人氣在脾

五月六月天氣盛地氣高人氣在頭

天陽赫盛地焰高升故言天氣盛
地氣高火性炎上故入氣在頭

七月八月陰氣始殺人氣在肺

七月三陰爻生八月陰始肅殺故云陰氣始
殺也然陰氣肅殺類合於金肺氣象金故人
氣在肺

九月十月陰氣始冰地氣始閉人氣在心

陰氣始凝地氣始閉隨
陽而入故人氣在心

十一月十二月冰復地氣合人氣在腎

陽氣深伏故氣在腎也夫氣之變也故發生
於木長茂於土盛高而上肅殺於金避寒於
火伏藏於水斯皆隨順陰陽氣之升沉也五
藏生成篇曰五藏之象可以類推此之謂氣
類也

故春刺散俞及與分理血出而止

散俞謂間穴分理謂肌肉分理○新校正云按四時刺逆從論云春氣在經脈此散俞即經脈之俞也又水熱穴論云春取絡脈分肉

甚者傳氣間者環也

辨疾氣之間甚也傳謂相傳環謂循環也相傳則傳所不勝循環則周迴於五氣也○新校正云按太素環也作環已

夏刺絡俞見血而止盡氣閉環痛病必下

盡氣謂出血而盡鍼下取所病脈盛邪之氣也邪氣盡已穴俞閉密則經脈循環而痛病之氣以下去矣以陽氣大盛故爲是法刺之○新校正云按四時刺逆從論云夏氣在孫絡此絡俞即孫絡之俞也又水熱穴論云夏取盛經分腠

秋刺皮膚循理上下同法神變而止循理謂循肌肉之分理也上謂手脉下謂足脉神變謂脉氣變易與未刺時異也脉者神之用故爾言之○新校正云按四時刺逆從論云秋氣在皮膚義與此合又水熱穴論云取俞以寫陰邪取合以虛陽邪皇甫士安云是始秋之治變

冬刺俞竅於分理甚者直下間者散下直下謂直爾下之散下謂散布下之○新校正云按四時刺逆從論云冬氣在骨髓此俞竅即骨髓之俞竅也又水熱穴論云冬取井滎皇甫士安云是末冬之治變也

春夏秋冬各有所刺法其所在春刺夏分脉亂氣微入淫骨髓病不能愈令人不嗜食又且少氣

心主脉故脉亂氣微水受氣於夏腎主骨故入淫於骨髓也心火微則胃主不足故不嗜食而少氣也○新校正云按四時刺逆從論云春刺絡脉血氣外溢令人少氣

春刺秋分筋攣逆氣環爲欬嗽病不愈令人時驚又且哭

木受氣於秋肝主筋故刺秋分則筋攣也若氣逆環周則爲欬嗽肝主驚故時驚肺主氣故氣逆又且哭也○新校正云按四時刺逆從論云春刺肌肉血氣環逆令人上氣也

春刺冬分邪氣著藏令人脹病不愈又且欲言語

冬主陽氣伏藏故邪氣著藏腎實則脹故刺冬分則令人脹也火受氣於冬心主言故欲言語也○新校正云按四時刺逆從論云春刺筋骨血氣内著令人腹脹

夏刺春分病不愈令人解墮肝養筋肝氣不足故筋力解墮○新校正云按四時刺逆從論云夏刺經脉血氣乃竭令人解㑊

夏刺秋分病不愈令人心中欲無言惕惕如人將捕之肝木爲語傷秋分則肝木虛故恐如人將捕之肝不足故欲無言而復恐也○新校正云按四時刺逆從論云夏刺肌肉血氣内却令人善恐甲乙經作悶

夏刺冬分病不愈令人少氣時欲怒夏傷於腎肝肺勃之志内不足故令人少氣時欲怒也○新校正云按四時刺逆從論云夏刺筋骨血氣上逆令人善怒

秋刺春分病不已令人惕然欲有所爲起而忘之肝虚故也刺不當也○新校正云按四時刺逆從論云秋刺經脉血氣上逆令人善忘

秋刺夏分病不已令人益嗜卧又且善夢心氣少則脾氣孤故令嗜卧心主夢神爲之故令善夢○新校正云按四時刺逆從論云秋刺絡脉氣不外行令人卧不欲動

秋刺冬分病不已令人洒洒時寒陰氣上干故時寒也洒洒寒貌○新校正云按四時刺逆從論云秋刺筋骨血氣内散令人寒慄

冬刺春分病不已令人欲卧不能眠眠而有見

肝氣少故令欲卧不能眠肝主目故眠而如見有物之形狀也○新校正云按四時刺逆從論云冬刺經脉血氣皆脱令人目不明

冬刺夏分病不愈氣上發為諸痺

泄脉氣故也○新校正云按四時刺逆從論云冬刺絡脉血氣外泄留為大痺

冬刺秋分病不已令人善渴

肺氣不足故發渴○新校正云按四時刺逆從論云冬刺肌肉陽氣竭絶令人善忘

凡刺胷腹者必避五藏

心肺在鬲上腎肝在鬲下脾象土而居中故刺胷腹必避之五藏者所以藏精神魂魄意志損之則五神去神去則死至故不可不慎也

中心者環死

氣行如環之一周則死也正謂周十二辰也
○新校正云按刺禁論云一日死其動爲噫
四時刺逆從論同此經闕刺中肝死日刺禁
論云中肝五日死其動爲語四時刺逆從論
同

中脾者五日死
土數五也○新校正云按刺禁論云中
脾十日死其動爲吞四時刺逆從論同

中腎者七日死
水成數六水數畢當至七日而死一云十日
死字之誤也○新校正云按刺禁論云中腎
六日死其動爲嚏四時刺逆從
論云中腎六日死其動爲嚏欠

中肺者五日死
金生數四金數畢當至五日而死一云三日
死亦字誤也○新校正云按刺禁論云中肺

三日死其動爲數四時刺逆從論同王註四時刺逆從論云此三論皆岐伯之言而不同者傳之誤也

中鬲者皆爲傷中其病雖愈不過一歲必死五藏之氣同主一年鬲傷則五藏之氣互相尅伐故不過一歲必死

刺避五藏者知逆從也所謂從者鬲與脾腎之處不知者反之腎著於脊脾藏居中鬲連於脇際知者爲順不知者反傷其藏

刺胷腹者必以布憿著之乃從單布上刺形定則不誤中於五藏也○新校正云按別本憿一作憿又作憿〔憿〕古堯反〔著〕直略反

刺之不愈復刺

要以氣至爲效也鍼經曰刺之氣不至無問其數刺之氣至去之勿復鍼此之謂也

刺鍼必肅

肅謂靜肅所以候氣之存亡

刺腫摇鍼

以出大膿血故

經刺勿摇

經氣不欲泄故

此刺之道也帝曰願聞十二經脉之終奈何

終謂盡也

岐伯曰太陽之脉其終也戴眼反折瘈瘲其色

白絶汗乃出出則死矣

戴眼謂睛不轉而仰視也然足太陽脈起於目内眥上額交巔上從巔入絡腦還出別下項循肩髆内俠脊抵腰中其支別者下循足至小指外側手太陽脈起於手小指之端循臂上肩入缺盆其支別者上頰至目内眥並足太陽○新校正云按甲乙經作斜絡於顴○又其支別者從缺盆循頸上頰至目外眥○新校正云按甲乙經外作兊○故戴眼反折瘈瘲色白絶汗乃出也絶汗謂汗暴出如珠而不流旋復乾也大陽極則汗出故出則死

少陽終者耳聾百節皆縱目睘絶系絶系一日半死其死也色先青白乃死矣

是少陽脈起於目銳眥上抵頭角下耳後其支別者從耳後入耳中出走耳前手少陽脈

其支別者從耳後亦入耳中出走耳前故終則耳聾目睘絕系也少陽主骨故氣終則百節縱緩色青白者金木相薄也故見死矣睘謂直視如驚貌睘音瓊

陽明終者口目動作善驚妄言色黃其上下經盛不仁則終矣

足陽明脉起於鼻交頞中下循鼻外入上齒縫中還出俠口環脣下交承漿却循頤後下廉出大迎循頰車上耳前過客主人循髮際至額顱其支別者從大迎前下人迎循喉嚨入缺盆下鬲手陽明脉起於手循臂至肩上出於柱骨之會上下入缺盆絡肺其支別者從缺盆上頸貫頰入下齒中還出俠口交人中左之右右之左上俠鼻鼽抵足陽明○新校正云按甲乙經鼽作孔無抵足陽明四字口故終則口目動作也口目動作謂目睒睒而鼓頷也胃病則惡人與火聞木音則惕然而驚又罵詈罵詈而不避親踈故善驚妄言

也黃者土色上謂手脉下謂足脉也經盛謂面目頸頷足跗腕脛皆躁盛而動也不仁謂不知善惡如是者皆氣竭之微也故終矣跛音閉

少陰終者面黑齒長而垢腹脹閉上下不通而終矣

手少陰氣絶則血不流足少陰氣絶則骨不耎骨硬則齗上宣故齒長而積垢汗血壞則皮色死故面色如漆而不赤也足少陰脉從腎上貫肝鬲入肺中手少陰脉起於心中出屬心系下鬲絡少腹故其終則腹脹閉上下不通也○新校正云詳王註云骨不耎骨硬按難經及甲乙經云骨不濡則肉不能著當作骨不濡手少陰脉絡少腹甲乙經作絡少腸

太陰終者腹脹閉不得息善噫善嘔

足太陰脉行從股內前廉入腹屬脾絡胃上鬲手太陰脉起於中焦下絡大腸還循胃口上鬲屬肺故終則如是也靈樞經曰足太陰之脉動則病食則嘔䐜脹善噫也

嘔則逆逆則面赤

嘔則氣逆故面赤○新校正云按靈樞經作善噫噫則嘔嘔則逆

不逆則上下不通不通則面黑皮毛焦而終矣

嘔則上通故但面赤不嘔則下已閉上復不通心氣外燔故皮毛焦而終矣何者足太陰脉支別者復從胃別上鬲注心中由是則皮毛焦乃心氣外燔而然也

厥陰終者中熱嗌乾善溺心煩甚則舌卷卵上縮而終矣

足厥陰絡循脛上臯結於莖其正經入毛中下過陰器上抵少腹俠胃上循喉嚨之後入

頏顙手厥陰脉起於胷中出屬心包故終則中熱嗌乾善溺心煩矣靈樞經曰肝者筋之合也筋者聚於陰器而脉絡於舌本故甚則舌卷卵上縮也又以厥陰之脉過陰器故爾○新校正云按甲乙經臯作睪過作環

此十二經之所敗也

手三陰三陽足三陰三陽則十二經也敗謂氣終盡而敗壞也○新校正云詳十二經終又出靈樞經與素問重

新刊補註釋文黃帝內經素問卷之二

黃帝素問 三

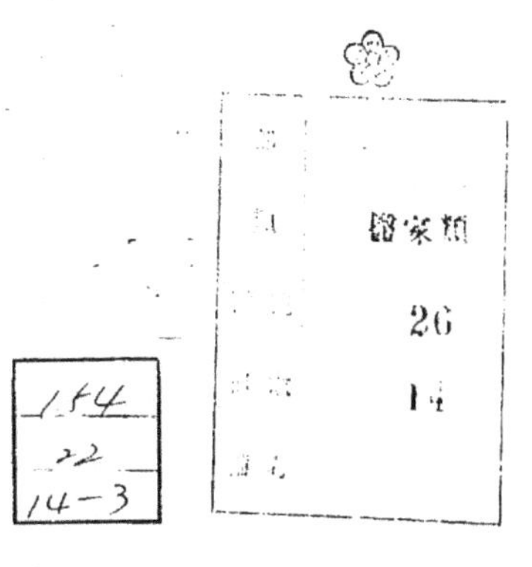

新刊補註釋文黄帝内經素問卷之三

○脉要精微論篇第十七

新校正云按全元起本在第六卷

黄帝問曰診法何如岐伯對曰診法常以平旦陰氣未動陽氣未散飲食未進經脉未盛絡脉調匀氣血未亂故乃可診有過之脉動謂動而降卑散謂散布而出也過謂異於常候也○新校正云按脉經及千金方有過之脉作過此非也王註陰氣未動謂動而降卑按金匱真言論云平旦至日中天之陽陽中之陽也則平旦為一日之中純陽之時陰氣未動耳何有降卑之義

切脉動静而視精明察五色觀五藏有餘不足

六府強弱形之盛衰以此參伍決死生之分切謂以指切近於脉也精明穴名也在明堂左右兩目内眥也以近於目故曰精明言以形氣盛衰脉之多少視精明之間氣色觀藏府不足有餘參其類伍以決死生之分

夫脉者血之府也府聚也言血之多少皆聚見於經脉之中也故剌志論曰脉實血實脉虚血虚此其常也反此者病由是故也

長則氣治短則氣病數則煩心大則病進夫脉長爲氣和故治短爲不足故病數急爲熱故煩心大爲邪盛故病進也長脉者往來長短脉者往來短數脉者往來急速大脉者往來滿大也

上盛則氣高

新校正云按全元起本高作甯

下盛則氣脹代則氣衰細則氣少

新校正云按大素細作滑

濇則心痛

上謂寸口下謂尺中盛謂盛滿代脉者動而中止不能自還細脉者動如莠蓬濇脉者往來時不利而蹇濇也

渾渾革至如涌泉病進而色弊綿綿其去如弦絶死

渾渾言脉氣濁亂也革至者謂脉來弦而大實而長也如涌泉者言脉汩汩但出而不返也綿綿言微微似有而不甚應手也如弦絶者言脉卒斷如弦之絶去也若病候日進而

色弊弱如此之脉皆必死也○新校正云按甲乙經及脉經作渾渾革革至如涌泉病進而危弊弊綽綽其去如弦絶者死

夫精明五色者氣之華也

五氣之精華者上見為五色變化於精明之間也六節藏象論曰天食人以五氣五氣入鼻藏於心肺上使五色脩明此則明察五色也

赤欲如帛裹朱不欲如赭白欲如鵝羽不欲如鹽

新校正云按甲乙經作白欲如白璧之澤不欲如堊太素兩出之

青欲如蒼璧之澤不欲如藍黃欲如羅裹雄黃不欲如黃土黑欲如重漆色不欲如地蒼

新校正云按甲乙經作炭色

五色精微象見矣其壽不久也

赭色鹽色藍色黃土色地蒼色見者皆精微之敗象故其壽不久

夫精明者所以視萬物別白黑審短長以長爲短以白爲黑如是則精衰矣

識其誤也夫如是者皆精明衰乃誤也

五藏者中之守也

身形之中五神安守之所也此皆明覩五藏也○新校正云按甲乙經及太素守作府

中盛藏滿氣勝傷恐者聲如從室中言是中氣之濕也

中謂腹中盛謂氣盛藏謂肺藏氣勝謂勝於呼吸而喘息變易也夫腹中氣盛肺藏充滿氣勝息變善傷於恐言聲不發如在室中者皆腹中有濕氣乃爾也

言而微終日乃復言者此奪氣也

若言音微細聲斷不續甚奪其氣乃如是也

衣被不斂言語善惡不避親踈者此神明之亂也倉廩不藏者是門戶不要也

倉廩謂脾胃門戶謂魄門靈蘭秘典論曰脾胃者倉廩之官也五藏別論曰魄門亦為五藏使水穀不得久藏也魄門則肛門也要謂禁要

水泉不止者是膀胱不藏也

水泉謂前陰之流注也

得守者生。失守者死。

夫如是倉廩不藏氣勝傷恐衣被不斂水泉不止者皆神氣得其所守則生失其所守則死也夫何以知神氣之不守即衣被不斂言語善惡不避親踈則亂之證也亂甚則不守於藏也

夫五藏者。身之強也。

藏安則神守神守則身強故曰身之強也

頭者。精明之府。頭傾視深。精神將奪矣。背者胷中之府。背曲肩隨。府將壞矣。腰者。腎之府。轉搖不能。腎將憊矣。膝者。筋之府。屈伸不能。行則僂附。

新校正云按別本附一作俯太素作跗

筋將憊矣。骨者髓之府。不能久立。行則振掉。骨將憊矣。

皆以所居所由而爲之府也

得強則生。失強則死。

強謂中氣強固以鎮守也

岐伯曰

新校正云詳此岐伯曰前無問

反四時者。有餘爲精。不足爲消。應太過。不足爲精。應不足。有餘爲消。陰陽不相應。病名曰關格

廣陳其脉應也夫反四時者諸不足皆爲血氣消損諸有餘皆爲邪氣勝精也陰陽之氣不相應合不得相營故曰關格

帝曰。脉其四時動柰何。知病之所在柰何。知病之所變柰何。知病乍在內柰何。知病乍在外柰何。請問此五者。可得聞乎。

言欲順四時及陰陽相應之狀候也

歧伯曰

新校正云詳此對與問不甚相應脉四時動病之所在病之所變按文頗對病在內在外之說後文殊不相當

請言其與天運轉大也。

指可見陰陽之運轉以明陰陽之不可見也

萬物之外。六合之內。天地之變。陰陽之應。彼春之暖。爲夏之暑。彼秋之忿。爲冬之怒。四變之動脉與之上下。

六合謂四方上下也春暖爲夏暑言陽生而至盛秋忿爲冬怒言陰少而之壯也忿一爲急言秋氣勁急也○新校正云按全元起本註暖作緩

以春應中規。

春脉耎弱輕虛而滑如規之象中外皆然故以春應中規

夏應中矩。

夏脉洪大兼之滑數如矩之象可正平之故以夏應中矩

秋應中衡。

秋脉浮毛輕濇而散如秤衡之象高下必平故以秋應中衡

冬應中權。

冬脉如石兼沉而滑如秤權之象下遠於衡故以冬應中權也以秋中衡冬中權者言脉之高下異處如此爾此則隨陰陽之氣故有斯四應不同也

是故冬至四十五日。陽氣微上。陰氣微下。夏至四十五日。陰氣微上。陽氣微下。陰陽有時。與脉為期期而相失。知脉所分。分之有期。故知死時。

察陰陽升降之準則知經脉遞遷之象審氣候遞遷之失則知氣血分合之期分期不差故知人死之時節

微妙在脉。不可不察。察之有紀。從陰陽始。
推陰陽升降精微妙用皆在經脉之氣候是以不可不察故始以陰陽爲察候之綱紀
始之有經。從五行生。生之有度。四時爲宜。
言如所以知有經脉之察候司應者何哉盖從五行衰王而爲準度也徵求大過不及之形證皆以應四時者爲生氣所宜也○新校正云按太素宜作數
補寫勿失。與天地如一。
有餘者寫之不足者補之是則應天地之常道也然天地之道損有餘而補不足是法天地之道也寫補之宜工切審之其治氣亦然
得一之精。以知死生。
聽天地之道補寫不差既得一情亦可知生死之準的

是故聲合五音。色合五行。脉合陰陽。

聲表宫商角徵羽故合五音色見青黄赤白黑故合五行脉彰寒暑之休王故合陰陽之氣也

是知陰盛則夢涉大水恐懼

陰爲水故夢涉水而恐懼也陰陽應象大論曰水爲陰

陽盛則夢大火燔灼

陽爲火故夢大火而燔灼也陰陽應象大論曰火爲陽

陰陽俱盛則夢相殺毀傷

亦類交爭之氣象也

上盛則夢飛下盛則夢墮

氣上則夢上故飛氣下則夢下故墮

甚飽則夢予

內有餘故

甚飢則夢取

內不足故

肝氣盛則夢怒

肝在志爲怒

肺氣盛則夢哭

肺聲哀故夢笑○新校正云詳是知陰盛則夢涉大水恐懼至此乃靈樞之文誤置於斯

仍少心脾腎氣盛所夢今具甲乙經中

短蟲多則夢聚衆

身中短蟲多則夢聚衆

長蟲多則夢相擊毀傷

長蟲動則內不安內不安則神躁擾故夢是矣○新校正云詳此二句亦不當出此應他經脫簡文也

是故持脉有道虛靜爲保。

前明脉應此舉持脉所由也然持脉之道必虛其心靜其志乃保定盈虛而不失○新校正云按甲乙經保作寶

春日浮。如魚之遊在波。

雖出猶未全浮

夏日在膚。泛泛乎萬物有餘。

泛泛平貌陽氣大盛脉氣亦象萬物之有餘易取而洪大也

秋日下膚。蟄蟲將去。

隨陽氣之漸降故曰下膚何以明陽氣之漸降蟄虫將欲藏去也

冬日在骨。蟄蟲周密。君子居室。

在骨言脉深沉也蟄虫周密言陽氣伏藏君子居室此人事也

故曰知內者。按而紀之。

知內者謂知脉氣也故按而爲之綱紀

知外者。終而始之。

知外者謂知色象故以五色終而復始

此六者。持脉之大法。見是六者然後可以知脉之遷變也○新校正云詳此前對帝問脉其四時動奈何之事

心脉搏堅而長。當病舌卷不能言。搏謂搏擊於手也諸脉搏堅而長者皆爲勞心而藏脉氣虛極也心手少陰脉從心系上俠咽喉故令舌卷短而不能言也

其耎而散者。當消環自已。諸脉耎散皆爲氣實血虛也消謂消散環謂環周言其經氣如環之周當其火王自消散也○新校正云按甲乙經環作渴

肺脉搏堅而長。當病唾血。肺虛極則絡逆絡逆則血泄故唾出也

其耎而散者。當病灌汗。至令不復散發也。

汗世玄府津液奔湊寒水灌洗皮密汗藏因灌汗藏故言灌汗至令不復散發也灌謂灌洗盛暑多爲此也。新校正云詳下文諸藏各言色而心肺二藏不言色者疑闕文也

肝脉搏堅而長。色不青。當病墜若搏。因血在脇下。令人喘逆。

諸脉見本經之氣而色不應者皆非病從內生是外病來勝也夫肝藏之脉端直以長故言曰色不青當病墜若搏也肝主兩脇故曰因血在脇下也肝厥陰脉布脇肋循喉嚨之後其支別者復從肝別貫鬲上注肺今血在脇下則血氣上熏於肺故令人喘逆也

其耎而散。色澤者。當病溢飲。溢飲者。渴暴多飲。而易入肌皮腸胃之外也。

面色浮澤是爲中濕血虛中濕水液不消故言當病溢飲也以水飲滿溢故滲溢易而入肌皮腸胃之外也○新校正云按甲乙經易作溢

胃脉搏堅而長。其色赤。當病折髀。胃虛色赤火氣救之心象於火故色赤也胃陽明脉從氣衝下髀抵伏兔故病則髀如折也

其耎而散者。當病食痺。痺痛也胃陽明脉其支別者從大迎前下人迎循喉嚨入缺盆下鬲屬胃絡脾故食則痛悶而氣不散也○新校正云詳謂痺爲痛其義則未通

脾脉搏堅而長。其色黃。當病少氣。脾虛則肺無所養肺主氣故少氣也

其耎而散。色不澤者。當病足胻。腫若水狀也。

色氣浮澤爲水之候色不潤澤故言若水狀也脾太陰脈自上內踝前廉上踹內循胻骨後交出厥陰之前上循膝股內前廉入腹故病足胻腫也

腎脈搏堅而長。其色黃而赤者。當病折腰。

色氣黃赤是心脾干腎腎受客陽故腰如折也腰爲腎府故病發於中

其耎而散者。當病少血。至令不復也。

腎主水以生化津液今腎氣不化故當病少血至令不復也

帝曰。

新校正云詳帝曰至以其勝治之愈全元起本在湯液篇

診得心脈而急。此爲何病。病形何如。岐伯曰。病

名心疝。少腹當有形也。心爲牡藏其氣應陽今脉反寒故爲病也諸脉勁急者皆爲寒形謂病形也

帝曰何以言之。岐伯曰心爲牡藏小腸爲之使故曰少腹當有形也。少腹小腸也靈蘭秘典論曰小腸者受盛之官以其受盛故形居于內也

帝曰診得胃脉病形何如。岐伯曰胃脉實則脹。虛則泄。脉實者氣有餘故脹滿脉虛者氣不足故泄利○新校正云詳此前對帝問知病之所在

帝曰病成而變何謂。岐伯曰風成爲寒熱。生氣通天論曰因於露風乃生寒熱故風成爲寒熱也

癉成爲消中。

癉謂濕熱也熱積於内故變爲消中也消中之證善食而瘦。新校正云詳王註以善食而瘦爲消中按本經多食數溲爲之消中善食而瘦乃是食㑊之證當云善食而溲數

厥成爲巔疾。

厥謂氣逆也氣逆上而不已則變爲上巔之疾也

久風爲飧泄。

久風不變但在胃中則食不化而泄利也以肝氣内合而乘胃故爲是病焉隂陽應象大論曰風氣通於肝故内應於肝也

脉風成爲癘。

經風論曰風寒客於脉而不去名曰癘風又曰癘者有榮氣熱胕其氣不清故使其鼻柱

壞而色敗皮膚瘍潰然此則癩也夫如是者皆脉風成結變而爲也

病之變化。不可勝數。

新校正云詳此前對帝問知病之所變奈何

帝曰。諸癰腫筋攣骨痛。此皆安生。

安何也言何以生之

岐伯曰。此寒氣之腫。八風之變也。

八風八方之風也然癰腫者傷東南西南風之變也筋攣骨痛者傷東風北風之變也靈樞經曰風從東方來名曰嬰兒風其傷人也外在筋紐風從東南來名曰弱風其傷人也外在於肌風從西南來名曰謀風其傷人也外在於肉風從北方來名曰大剛風其傷人也外在於骨由此四風之變而三病乃生故下問對是也

帝曰。治之柰何。岐伯曰。此四時之病。以其勝治之愈也。勝謂勝剋也如金勝木木勝土土勝水水勝火火勝金此則相勝也

帝曰。有故病。五藏發動。因傷脉色。各何以知其久暴至之病乎。重以色氣明前五藏堅長之脉有自病故病及因傷候也

岐伯曰。悉乎哉問也。徵其脉小色不奪者。新病也。氣之而神猶強也

徵其脉不奪。其色奪者。此久病也。

徵其脉與五色俱奪者。此久病也。神持而邪凌其氣也

神與氣俱衰也

徵其脉與五色俱不奪者。新病也。神與氣俱強也

肝與腎脉並至。其色蒼赤。當病毀傷。不見血。已見血。濕若中水也。肝色蒼心色赤赤色見當脉洪腎脉見當色黑今腎脉來反見心色故當因傷而血不見也若已見血則是濕氣及水在腹中也何者以心腎脉色中外之候不相應也

尺內兩傍。則季脇也。

尺內謂尺澤之內也兩傍各謂尺之外側也季脇近腎尺主之故尺內兩傍則季脇也

尺外。以候腎。尺裏。以候腹中。

尺外謂尺之外側尺裏謂尺之內側也次尺外下兩傍則季脇之分季脇之上腎之分季脇之內則腹之分也

附上左。外以候肝。內以候鬲。

肝主賁賁鬲也

右。外以候胃。內以候脾。

脾居中故以內候之胃爲市故以外候之

上附上。右。外以候肺。內以候胷中。

肺葉垂外故以外候之胷中主氣管故以內候之

左。外以候心。內以候膻中。

心主膻中也膻中則氣海也嗌也○新
校正云詳王氏以膻中爲嗌也疑誤

前以候前。後以候後

上前謂左寸口下前謂胷之前膺及氣海也
上後謂右寸口下後謂胷之後背及氣管也

上竟上者。胷喉中事也。下竟下者少腹腰股膝

脛足中事也。

上竟上至魚際也下竟下謂盡尺之脉動處
也少腹胞氣海在膀胱腰股膝脛足中之氣

動靜皆分其近遠及連接處
所名目以候之知其善惡也

麤大者。陰不足。陽有餘。爲熱中也。

麤大謂脉洪大也脉
洪爲熱故曰熱中

來疾去徐。上實下虛。爲厥巔疾。來徐去疾。上虛下實。爲惡風也。

亦脉狀也

故中惡風者。陽氣受也。

以上虛故陽氣受也

有脉俱沉細數者。少陰厥也。

尺中之有脉沉細數者是腎少陰氣逆也何者尺脉不當見數有數故言厥也俱沉細數者言左右尺中也

沉細數散者。寒熱也。

陽干於陰陰氣不足故寒熱也正理論曰數爲陽

浮而散者。爲眴仆。

脉浮爲虚散爲不足氣虚而血不足故爲頭眩而仆倒也眴音順

諸浮不躁者。皆在陽則爲熱。其有躁者。在手。

言大法也但浮不躁則病在足陽脉之中躁者病在手陽脉之中也故又曰其有躁者在手也陽爲火氣故爲熱

諸細而沉者。皆在陰。則爲骨痛。其有靜者。在足。

細沉而躁則病生於手陰脉之中靜者病生於足陰脉之中也故又曰其有靜者在足也陰主骨故骨痛

數動一代者。病在陽之脉也。洩及便膿血。

代止也數動一代是陽氣之生病故云病在陽之脉所以然者以洩利及膿血脉乃爾

諸過者。切之。濇者。陽氣有餘也。滑者。陰氣有餘也。

陽有餘則血少故脉濇陰有餘則氣多故脉滑也○新校正云詳氣多疑誤當是血多也

陽氣有餘。爲身熱無汗。陰氣有餘。爲多汗身寒。

血少氣多斯可知也

陰陽有餘。則無汗而寒。

陽餘無汗陰餘身寒若陰陽有餘則當無汗而寒也

推而外之。内而不外。有心腹積也。

脉附臂筋取之不審推筋令遠使脉外行内而不出外者心腹中有積乃爾

推而内之。外而不内。身有熱也。

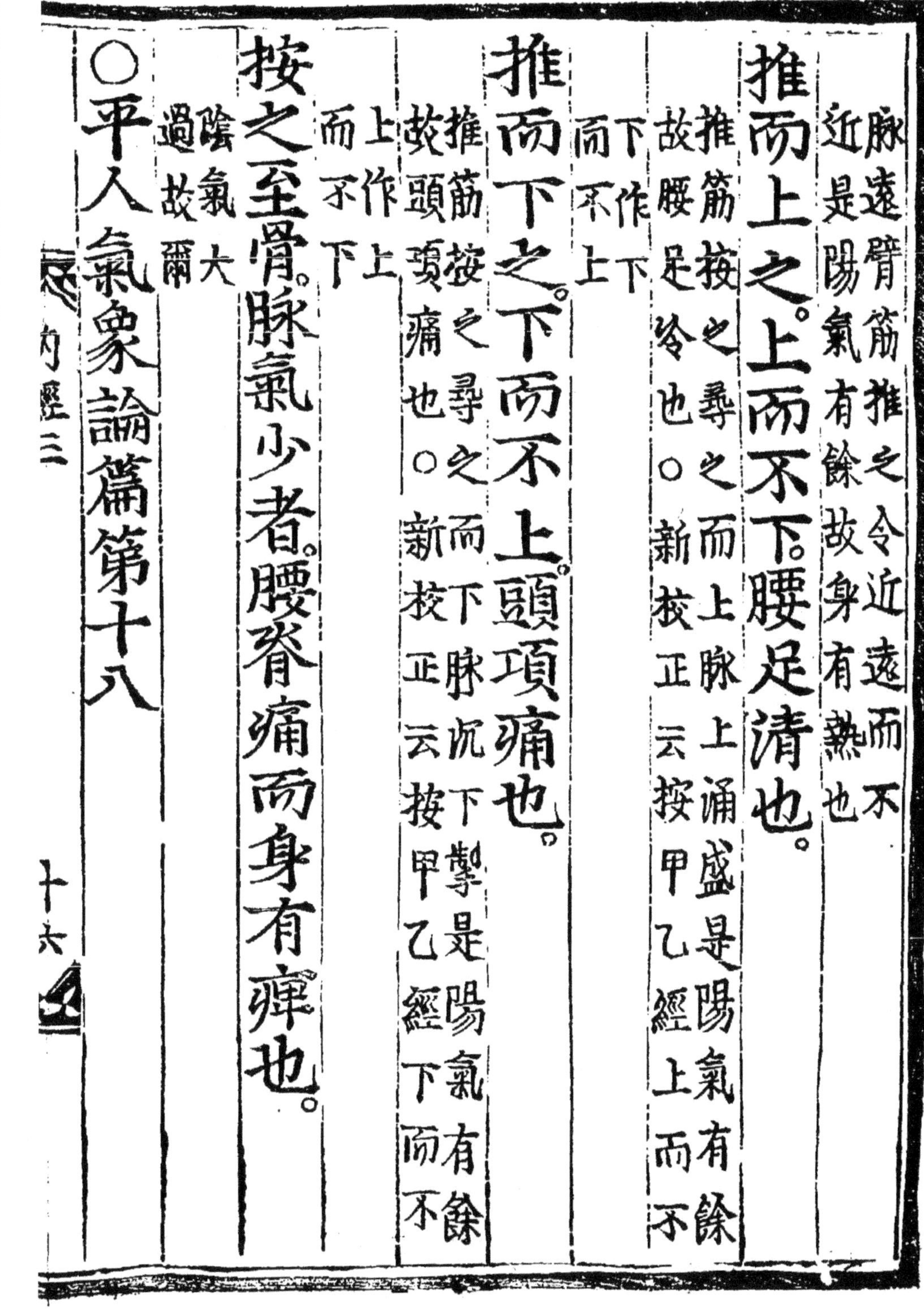

脉遠臂筋推之令近遠而不近是陽氣有餘故身有熱也

推而上之。上而不下。腰足清也。

推筋按之尋之而上脉上涌盛是陽氣有餘故腰足冷也。○新校正云按甲乙經上而不下作下而不上

推而下之。下而不上。頭項痛也。

推筋按之尋之而下脉沉下掣是陽氣有餘故頭項痛也。○新校正云按甲乙經下而不上作上而不下

按之至骨。脉氣少者。腰脊痛而身有痺也。

陰氣大過故爾

○平人氣象論篇第十八

新校正云按全元起本在第一卷

黃帝問曰。平人何如。

平人謂氣候平調之人也

岐伯對曰。人一呼。脉再動。一吸。脉亦再動。呼吸定息。脉五動。閏以大息。命曰平人。平人者。不病也。

經脉一周於身凡長十六丈二尺呼吸脉各再動定息脉又一動則五動也計二百七十定息氣行環周然盡五十營以一萬三千五百定息則氣都行八百一十丈如是則應天常度脉氣無不及大過氣象平調故曰平人

常以不病。調病人。醫不病。故爲病人。平息以調之。爲法。人一呼。脉一動。一吸。脉一動。曰少氣。呼吸脉各一動準候減平人之半計二百七十定息氣行八丈一尺以一萬三千五百定息都行四百五丈少氣之理從此可知

人一呼。脉三動。一吸。脉三動而躁。尺熱曰病溫。尺不熱。脉滑曰病風。脉濇曰痺。呼吸脉各三動準過平人之半計二百七十息氣凡行二十四丈三尺病生之兆由斯著矣夫尺者陰分位也寸者陽分位也然陰陽俱熱是則爲溫陽獨躁盛則風中陽也脉要精微論曰中惡風者陽氣受也滑爲陽盛故病爲風濇爲無血故爲痛痺也躁謂煩躁○新校正云按甲乙經無脉濇曰痺一句下文亦重

人一呼。脉四動以上曰死。脉絕不至曰死。乍疎

乍數曰死。呼吸脉各四動，準候過平人之倍，計二百七十息，氣凡行三十二丈四尺，況其以上耶。脉法曰：脉四至曰脫精，五至曰死。然四至以上，亦近五至也，故死矣。然脉絕不至，天真之氣已無；乍數乍踈，胃穀之精亦彌。此皆死之候，是以下文曰〇新校正云：按別本彌一作敗。

平人之常氣稟於胃。胃者，平人之常氣也。常平之氣，胃海致之。靈樞經曰：胃為水穀之海也。正理論曰：穀入於胃，脉道乃行。

人無胃氣曰逆。逆者死。逆謂反平人之候也〇新校正云：按甲乙經云：人常稟氣於胃，脉以胃氣為本，無胃氣曰逆，逆者死。

春胃微弦曰平。

言微似弦不謂微而弦也鉤及耎弱毛石義並同

弦多胃少曰肝病。但弦無胃曰死。

謂急而益勁如新張弓弦也

胃而有毛曰秋病。

毛秋脉金氣也

毛甚曰今病。

木受金邪故今病

藏眞散於肝。肝藏筋膜之氣也。

象陽氣之散發故藏真散也藏氣法時論曰肝欲散急食辛以散之取其順氣

夏胃微鉤曰平。鉤多胃少曰心病。但鉤無胃曰

死。謂前曲後居如操帶鉤也

胃而有石曰冬病。石冬脉水氣也

石甚曰今病。火被水侵故今病

藏真通於心。心藏血脉之氣也。象陽氣之炎盛也藏氣法時論曰心欲耎食鹹以耎之取其順氣

長夏胃微耎弱曰平。弱多胃少曰脾病。但代無胃曰死。

謂動而中止不能自還也

耎弱有石曰冬病。

石冬脉水氣也次其勝剋石當爲弦長夏土絶故云石也

弱甚曰今病。

弱甚爲土氣不足故今病新校正云按甲乙經弱作石

藏眞濡於脾。脾藏肌肉之氣也。

以含藏水穀故藏眞濡也

秋胃微毛曰平。毛多胃少曰肺病。但毛無胃曰死。

謂如物之浮如風吹毛也

毛而有弦曰春病。弦春脉木氣也次其乘剋弦當爲鈎金氣逼肝則脉弦來見故不鈎而反弦也

弦甚曰今病。木氣逆來乘金則今病

藏眞高於肺。以行榮衛陰陽也。肺處上焦故藏眞高也靈樞經曰榮氣之道内穀爲寶穀入於胃氣傳與肺流溢於中布散於外精專者行於經隧以其自肺宣布故云以行榮衛陰陽也。新校正云按别本寶一作實

冬胃微石曰平。石多胃少曰腎病。但石無胃曰死。

謂如奪索辟辟如彈石也

石而有鉤曰夏病。

鉤夏脉火氣也次其乘剋鉤當云弱土王長夏不見正形故石而有鉤氣其土也

鉤甚曰今病。

水受火土之邪故今病

藏眞下於腎。腎藏骨髓之氣也。

腎居下焦故云藏眞下也腎化骨髓故藏骨髓之氣也

胃之大絡。名曰虛里。貫鬲絡肺。出於左乳下。其動應衣。脉宗氣也。

宗尊也主也謂十二經脉之尊主也貫鬲絡肺出於左乳下者自鬲而出於乳下乃絡肺

也

盛喘數絶者。則病在中。絶謂暫斷絶也

結而横有積矣。絶不至曰死。皆左乳下脉動狀也中謂腹中也

乳之下其動應衣宗氣泄也泄謂發泄○新校正云按全元起本無此十一字甲乙經亦無詳上下文義多此十一字當去

欲知寸口太過與不及。寸口之脉。中手短者。曰頭痛。寸口脉中手長者。曰足脛痛。

短爲陽氣不及故病於頭長爲陰氣大過故病於足

寸口脉中手促上擊者。曰肩背痛。

陽盛於上故肩背痛

寸口脉沉而堅者。曰病在中。寸口脉浮而盛者。曰病在外。

沉堅爲陰故病在中浮盛爲陽故病在外也

寸口脉沉而弱曰寒熱及疝瘕少腹痛

沉爲寒弱爲熱故曰寒熱也又沉爲陰盛弱爲陽餘餘盛相薄正當寒熱不當爲疝瘕而少腹痛應古之錯簡爾□新校正云按甲乙經無此十五字況下文已有寸口脉沉而喘曰寒熱脉急者曰疝瘕少腹痛此文衍當去

寸口脉沉而橫。曰脇下有積。腹中有橫積痛。

亦陰氣內結也

寸口脉沉而喘。曰寒熱。

喘為陽吸沉為陰爭爭吸相薄故寒熱也

脉盛滑堅者。曰病在外。脉小實而堅者。病在內

盛滑為陽小實為陰陰病病在內陽病病在外

脉小弱以濇。謂之久病

小為氣虛濇為無血血氣虛弱故云久遠之病也

脉滑浮而疾者。謂之新病。

滑浮為陽足脉疾為氣全陽足氣全故云新淺之病也

脉急者。曰疝瘕小腹痛。

此覆前疝瘕小腹痛之脉也言沉弱不必爲疝瘕沉急乃與診相應

脉滑曰風。脉濇曰痺。

滑爲陽陽受病則爲風濇爲陰陰受病則爲痺

緩而滑。曰熱中。盛而緊。曰脹。

緩謂縱緩之狀非動之遲緩也陽盛於中故脉滑緩寒氣痞滿故脉盛緊也盛盛緊盛盛滿也

脉從陰陽。病易已。脉逆陰陽。病難已。

脉病相應謂之從脉病相反謂之逆

脉得四時之順曰病無他。脉反四時。及不間藏。曰難已。

春得秋脉夏得冬脉秋得夏脉冬得四季脉皆謂反四時氣不相應故難已也

臂多青脉曰脱血。

血少脉空客寒因入寒凝血汁故脉色青也

尺脉緩濇謂之解㑊。

尺爲陰部腹腎主之緩爲熱中濇爲無血熱而無血故解㑊而不寒不可名之然寒不寒熱不熱弱不弱壯不壯㑊不可名謂之解㑊也脉要精微論曰尺外以候腎尺裏以候腹中則腹腎主尺之意也

㑊音能困弱也

安卧脉盛謂之脱血。

卧久傷氣氣傷則脉診應微今脉盛而不微則血去而氣無所主乃爾盛謂數急而大鼓也

尺濇脉滑，謂之多汗。

謂尺膚濇而尺脉滑也。膚濇者，榮血內涸；脉滑爲陽氣內餘。血涸而陽氣尚餘，多汗而脉乃如是也。

尺寒脉細，謂之後泄。

尺主下焦，診應腸腹，故膚寒脉細，泄利乃然。脉法曰：陰微則下。言尺氣虛少。

脉尺麤常熱者，謂之熱中。

謂下焦中也。

肝見庚辛死。

庚辛爲金，伐肝木也。

心見壬癸死。

壬癸爲水滅心火也

脾見甲乙死。

甲乙爲木剋脾土也

肺見丙丁死。

丙丁爲火爍肺金也

腎見戊已死。

戊已爲土刑腎水也

是謂眞藏見皆死。

此亦通明三部九候論中眞藏脉見者勝死也尺麄而藏見亦然

頸脉動。喘。疾欬曰水。

水氣上溢則肺被熱熏陽氣上逆故頸脈盛鼓而欬喘也頸脈謂耳下及結喉傍人迎脈也

目裹微腫。如臥蠶起之狀曰水。

評熱病論曰水者陰也目下亦陰也腹者至陰之所居也故水在腹中者必使目下腫也

溺黃赤安臥者黃疸

疸勞也腎勞胞熱故溺黃赤也正理論曰謂之勞癉以女勞得之也○新校正云詳王註以疸爲勞義非若謂女勞得疸則可若以疸爲勞則非也

已食如飢者胃疸。

是則胃熱也熱則消穀故食已如飢也

面腫曰風。

加之面腫則胃風之診也何者胃陽明脉起於鼻交頞中下循鼻外故爾

足脛腫曰水。

是謂下焦有水也腎少陰脉出於足心上循脛過陰股從腎上貫肝鬲故下焦有水足脛腫也

目黄者曰黄疸。

陽怫於上熱積胷中陽熱上燔故目黄也靈樞經曰目黄者病在胷

婦人手少陰。

新校正云按全元起本作足少陰

脉動甚者。任子也。

手少陰脉謂掌後陷者中當小指動而應手者也靈樞經曰少陰無輸心不病乎岐伯曰

其外經病而藏不病故獨取其經於掌後銳骨之端此之謂也動謂動脉也動脉者大如豆厥厥動搖也正理論曰脉陰陽相薄名曰動也又經脉別論曰陰薄陽別謂之有子○新校正云按經脉別論中無此文

脉有逆從四時。未有藏形。春夏而脉瘦。新校正云按玉機真藏論瘦作沉濇秋冬而脉浮大。命曰逆四時也。春夏脉瘦謂沉細也秋冬浮大不應時也大法春夏當浮大而反沉細秋冬當沉細而反浮大故曰不應時也

風新校正云按玉機真藏論風作病

熱而脉静。泄而脱血。脉實。新校正云按王機眞藏論篇註作泄而脉大脱血而脉實病在中脉虚病在外新校正云按王機眞藏論作脉實堅病在外脉濇堅者新校正云按王機眞藏論作脉不實堅者皆難治。風熱當脉躁而反静泄而脱血當脉虚而反實邪氣在内當脉實而反虚病氣在外當脉虚滑而反堅濇故皆難治也

命曰反四時也

皆反四時之氣乃如是矣○新校正云詳命曰反反四時也此六字應古錯簡當去自前未有藏形春夏至此五十三字與後王機眞藏論文相重

入以水穀爲本。故人絕水穀則死。脉無胃氣亦死。所謂無胃氣者。但得眞藏脉。不得胃氣也。所謂脉不得胃氣者。肝不弦。腎不石也。

不弦不石皆謂不微似也

大陽脉至。洪大以長。

氣盛故能爾○新校正云按扁鵲陰陽脉法云大陽之脉洪大以長其來浮於筋上動搖九分三月四月甲子王呂廣云大陽王五月六月其氣大盛故其脉洪大而長也

少陽脉至。乍數乍踈。乍短乍長。

以氣有暢未暢者也○新校正云按扁鵲陰陽法云少陽之脉乍小乍大乍長乍短動搖六分王十一月甲子夜半正月二月甲子王吕廣云少陽王正月二月其氣尚微故其脉來進退無常

陽明脉至浮大而短。穀氣滿盛故也○新校正云詳無三陰脉應古文闕也按難經云大陰之至緊大而長少陰之至緊細而微厥陰之至沉短以敦吕廣云陽明王三月四月其氣始萌未盛故其脉來浮大而短扁鵲陰陽脉法云少陰之脉緊細動搖六分王五月甲子日中七月八月王太陰之脉緊細以長乗於筋上動搖九分九月十月甲子王厥陰之脉沉短以緊動搖三分十一月十二月甲子王也

夫平心脉來。累累如連珠。如循琅玕曰心平。

言脉滿而盛微似珠形之中手琅玕珠之類也

夏以胃氣為本。脉有胃氣則累累而微似連珠也

病心脉來。喘喘連屬。其中微曲曰心病。曲謂中手而偃曲也○新校正云詳越人云啄啄連屬其中微曲曰腎病與素問異

死心脉來。前曲後居。如操帶鉤曰心死。居不動也操執持也鉤謂革帶之鉤

平肺脉來。厭厭聶聶。如落榆莢曰肺平。浮薄而虛者也○新校正云詳越人云厭厭聶聶如循榆莢曰春平脉藹藹如車盖按之益大曰秋平脉與素問之說不同張仲景云秋脉藹藹如車盖者名曰陽結春脉聶聶如

吹揄羨者名曰數恐越人之說誤也

秋以胃氣爲本。

脉有胃氣則微似揄羨之輕虛也

病肺脉來。不上不下。如循雞羽曰肺病。

謂中央堅而兩傍虛

死肺脉來。如物之浮。如風吹毛曰肺死。

如物之浮瞥瞥然如風吹毛紛紛然也。新校正云詳越人云按之消索如風吹毛曰死

平肝脉來。耎弱招招如揭長竿末梢曰肝平。

如竿末梢言長耎也

春以胃氣爲本。

脉有胃氣乃長耎如竿之末梢矣

病肝脉來盈實而滑。如循長竿曰肝病。

長而不耎故若循竿

死肝脉來急益勁。如新張弓弦曰肝死。

勁謂勁強急之甚也

平脾脉來和柔相離。如雞踐地曰脾平。

言脉來動數相離緩急和而調

長夏以胃氣爲本。

胃少則脉實數

病脾脉來實而盈數。如雞舉足曰脾病。

胃少故脉實急矣舉足謂如雞走之舉足也○新校正云詳越人以爲心病

死脾脉來鋭堅如鳥之喙○新校正云按千金方作如雞之喙也

如鳥之距○如屋之漏○如水之流曰脾死○鳥喙鳥距言鋭堅也水流屋漏言其至也水流謂平至不鼓屋漏謂時動復住

平腎脉來喘喘累累如鉤按之而堅曰腎平○謂如心脉而鉤按之小堅爾○新校正云按越人云其來上大下鋭濡滑如雀之喙曰平呂廣云上大者足太陽下鋭者足少陰陰陽得所爲胃氣強故謂之平雀喙者本大而末鋭也

冬以胃氣爲本○

胃少則不按亦堅也

病腎脉來如引葛按之益堅曰腎病。

形如引葛言不按且堅明按之則尤甚也

死腎脉來發如奪索辟辟如彈石曰腎死。

發如奪索猶蛇之走辟辟如彈石言促又堅也

○玉機真藏論篇第十九

新校正云按全元起本在第六卷

黃帝問曰春脉如弦何如而弦岐伯對曰春脉者肝也東方木也萬物之所以始生也故其氣來耎弱輕虛而滑端直而長故曰弦

言端直而長狀如弦也○新校正云按越人云春脉弦者東方木也萬物始生未有枝葉故其脉來濡弱而長四時經輕作寬

反此者病

反謂反常平之候

帝曰何如而反岐伯曰其氣來實而強此謂大過病在外其氣來不實而微此謂不及病在中

氣餘則病形於外氣少則病在於中也○新校正云按呂廣云實強者陽氣盛也少陽當微弱今更實強謂之大過陽處表故令病在外厥陰之氣養於筋其脉弦今更虛微故曰在不及陰處中故令病在内

帝曰春脉大過與不及其病皆何如岐伯曰大

過則令人善忘忽忽眩冒而巔疾其不及則令人胸痛引背下則兩脇胠滿

忽忽不爽也眩謂目眩視如轉也冒謂冒悶也胠謂腋下脇也忘當爲怒字之誤也靈樞經曰肝氣實則怒肝厥陰脉自足而上入毛中又上貫鬲布脇肋循喉嚨之後上入頏顙上出額與督脉會於巔故病如是○新校正云按氣交變大論云木大過甚則忽忽善怒眩冒巔疾則忘當作怒

帝曰善夏脉如鉤何如而鉤歧伯曰夏脉者心也南方火也萬物之所以盛長也故其氣來盛去衰故曰鉤

言其脉來盛去衰如鉤之曲也○新校正云按越人云夏脉鉤者南方火也萬物之所盛

垂枝布葉皆下曲如鉤故其脉來疾去遲呂廣云陽盛故來疾陰虚故去遲脉從下上至寸口疾還尺中遲也

反此者病帝曰何如而反岐伯曰其氣來盛去亦盛此謂太過病在外

其脉來盛去盛是陽之盛也心氣有餘是爲大過

其氣來不盛去反盛此謂不及病在中

新校正云詳越人云肝心肺腎四藏脉俱以強實爲大過虚微爲不及與素問不同

帝曰夏脉太過與不及其病皆何如岐伯曰太過則令人身熱而膚痛爲浸淫其不及則令人煩心上見欬唾下爲氣泄

心少陰脉起於心中出屬心系下鬲絡小腸又從心系却上肺故心大過則身熱膚痛而浸淫流布於形分不及則心煩上見欬唾下爲氣泄

帝曰善秋脉如浮何如而浮岐伯曰秋脉者肺也西方金也萬物之所以收成也故其氣來輕虛以浮來急去散故曰浮脉來輕虛故名浮也來急以陽未沉下去散以陰氣上升也○新校正云按越人云秋脉毛者西方金也萬物之所終草木華葉皆秋而落其枝獨在若毫毛也故其脉來輕虛以浮故曰毛反此者病帝曰何如而反岐伯曰其氣來毛而中央堅兩傍虛此謂大過病在外其氣來毛而

微此謂不及病在中帝曰秋脉大過與不及其病皆何如岐伯曰大過則令人逆氣而背痛慍慍然其不及則令人喘呼吸少氣而欬上氣見血下聞病音

肺太陰脉起於中焦下絡大腸還循胃口上鬲屬肺從肺系横出腋下復藏氣爲欬主喘息故氣盛則肩背痛氣逆不及則喘息變易呼吸少氣而欬上氣見血也下聞病音謂喘息則肺中有聲也

帝曰善冬脉如營何如而營

脉沉而深如營動也○新校正云詳深一作濡又作搏按本經下文云其氣來沉以搏則深深當爲搏又按甲乙經搏字爲濡當從甲乙經爲得何以言之脉沉而濡濡古軟字乃

冬脉之平調脉若沉而搏擊於手則冬脉之大過脉也故言當從甲乙經濡字

岐伯曰冬脉者腎也北方水也萬物之所以合藏也故其氣來沉以搏故曰營

言沉而搏擊於手也○新校正云按甲乙經搏當作濡義如前說又越人云冬脉石者北方之水也萬物之所藏盛冬之時水凝如石故其脉來沉濡而滑故曰石也

反此者病帝曰何如而反岐伯曰其氣來如彈石者此謂大過病在外其去如數者此謂不及病在中帝曰冬脉大過與不及其病皆何如岐伯曰大過則令人解㑊

新校正云按解㑊之義具第五卷註

脊脉痛而少氣不欲言其不及則令人心懸如病飢胗中清脊中痛少腹滿小便變

腎少陰脉自股内後廉貫脊屬腎絡膀胱其直行者從腎上貫肝鬲入肺中循喉嚨俠舌本其支别者從肺出絡心注胷中故病如是也胗者季脇之下俠脊兩傍空軟處也腎外當胗故胗中清冷也

帝曰善帝曰四時之序逆從之變異也

脉春弦夏鉤秋浮冬營爲逆順之變見異狀也

然脾脉獨何主

主謂主時月

岐伯曰脾脉者土也孤藏以灌四傍者也

納水穀化津液漑灌於肝心肺腎也以不正主四時故謂之孤藏〔漑〕古代反

帝曰然則脾善惡可得見之乎岐伯曰善者不可得見惡者可見

不正主時寄王於四季故善不可見惡可見也

帝曰惡者何如可見岐伯曰其來如水之流者此謂太過病在外如烏之喙者此謂不及病在中

新校正云按平人氣象論云如烏之喙又別本喙作啄

帝曰夫子言脾爲孤藏中央土以灌四傍其太過與不及其病皆何如岐伯曰太過則令人四

支不舉以主四支故病不舉

其不及則令人九竅不通名曰重強脾之孤藏以灌四傍今病則五藏不和故九竅不通也八十一難經曰五藏不和則九竅不通重謂藏氣重疊強謂氣不和順

帝瞿然而起再拜而稽首曰善吾得脉之大要天下至數五色脉變揆度奇恒道在於一瞿然忙貌也言以大過不及而一貫之揆度奇恒皆通也

神轉不迴迴則不轉乃失其機五氣循環不愆時叙是為神氣流轉不迴若却行衰王反天之常氣是則却迴而不轉由

是卻廻不轉乃失生氣之機矣

至數之要迫近以微

得至數之要道則應用切近以微妙也迫切也

著之玉版藏之藏府每旦讀之名曰玉機

著之玉版故以爲名言是玉版生氣之機○新校正云詳至數至名曰玉機與前玉版論要文相重彼註頗詳

五藏受氣於其所生傳之於其所勝氣舍於其所生死於其所不勝病之且死必先傳行至其所不勝病乃死

受氣所生者謂受病氣於己之所生者也傳所勝者謂傳於己之所剋者也氣舍所生者

謂舍於生已者也死所不勝者謂死於剋己者之分位也所傳不順故必死焉

此言氣之逆行也故死所爲逆者次如下說

肝受氣於心傳之於脾氣舍於腎至肺而死心受氣於脾傳之於肺氣舍於肝至腎而死脾受氣於肺傳之於腎氣舍於心至肝而死肺受氣於腎傳之於肝氣舍於脾至心而死腎受氣於肝傳之於心氣舍於肺至脾而死此皆逆死也

一日一夜五分之此所以占死生之早暮也肝死於肺位秋庚辛餘四倣此然朝主甲乙晝主丙丁四季主戊己晡主庚辛夜主壬

癸由此則死生之早暮可知也○新校正云按甲乙經生作者字云占死者之早暮詳此經又專爲言氣之逆行也故死即不言生之早暮王氏改者作生義不若甲乙經中素問本文

黃帝曰五藏相通移皆有次五藏有病則各傳其所勝

以上文逆傳而死故言是逆傳所勝之次也○新校正云詳逆傳所勝之次逆當作順上文既言逆傳下文所言乃順傳之次也

不治法三月若六月若三日若六日傳五藏而當死是順傳所勝之次

三月者謂一藏氣之遷移六月者謂至其所勝之位三日者三陽之數以合日也六日者

謂兼三陰以數之爾熱論曰傷寒一日巨陽受二日陽明受三日少陽受四日太陰受五日少陰受六日厥陰受則其義也○新校正云詳上文是順傳所勝之次七字乃是次前註誤在此經文之下不惟無義兼校之全元起本素問及甲乙經並無此七字直去之慮未達者致疑今存于註

故曰別於陽者知病從來別於陰者知死生之期主辯三陰三陽之候則知中風邪氣之所不勝矣故下曰○新校正云詳舊此段註寫作經今跂為註又按陰陽別論云別於陽者知病處也別於陰者知死生之期又云別於陽者知病忌時別於陰者知死生之期義同此

言知至其所困而死。

因謂至所不勝也上文曰死於其所不勝

是故風者百病之長也

言先百病而有之○新校正云按生氣通天論云風者百病之始

今風寒客於人使人毫毛畢直皮膚閉而為熱

客謂客止於人形也風擊皮膚寒勝腠理故毫毛畢直玄府閉密而熱生也

當是之時可汗而發也

邪在皮毛故可汗泄也陰陽應象大論曰善治者治皮毛此之謂也

或痺不仁腫痛

病生而變故如是也熱中血氣則瘴痺不仁寒氣傷形故為腫痛陰陽應象大論云寒傷形熱傷氣氣傷痛形傷腫

當是之時可湯熨及火灸刺而去之

皆謂釋散寒邪宣揚正氣

弗治病入舍於肺名曰肺痺發欬上氣

邪入諸陰則病而為痺故入於肺名曰痺焉宣明五氣篇曰邪入於陽則狂邪入於陰則痺在肺變動為欬故欬則氣上故上氣也

弗治肺即傳而行之肝病名曰肝痺一名曰厥

脇痛出食

肺金伐木氣下入肝故曰弗治行之肝也肝氣通膽膽善為怒怒者氣逆故一名厥也肝厥陰脈從少腹屬肝絡膽上貫鬲布脇肋循喉嚨之後上入頏顙故脇痛而食入腹則出故曰出食

當是之時可按若刺耳弗治肝傳之脾病名曰脾風發癉腹中熱煩心出黃

肝氣應風木勝脾土土受風氣故曰脾風盖爲風氣通肝而爲名也脾之爲病善發黃癉故發癉也脾太陰脉入腹屬脾絡胃上鬲俠咽連舌本散舌下其支別者復從胃別上鬲注心中故腹中熱而煩心出黃色於便寫之所也

當此之時可按可藥可浴弗治脾傳之腎病名曰疝瘕少腹寃熱而痛出白一名曰蠱

腎少陰脉自股內後廉貫脊屬腎絡膀胱故少腹寃熱而痛溲出白液也寃熱內結消鑠脂肉如虫之食日內損削故一名曰蠱

當此之時可按可藥弗治腎傳之心病筋脉相

引而急病名曰瘛腎不足則水不生水不生則筋燥急故相引也陰氣內弱陽氣外熇筋脉受熱而自跳掣故名曰瘛

當此之時可灸可藥弗治滿十日法當死至心而氣極則如是矣若復傳行當如下說

腎因傳之心心即復反傳而行之肺發寒熱法當三歲死因腎傳心心不受病即而復反傳與肺金肺已再傷故寒熱也三歲者肺至腎一歲腎至肝一歲肝至心一歲火又乘肺故云三歲死

此病之次也

謂傳勝之次第

然其卒發者不必治於傳

不必依傳之次故不必以傳治之

或其傳化有不以次不以次入者憂恐悲喜怒

令不得以其次故令人有大病矣

憂恐悲喜怒發無常分觸遇則發故令病氣亦不次而生

因而喜大虛則腎氣乘矣

喜則心氣移於肺心氣不守故腎氣乘矣宣明五氣篇曰精氣并於心則喜

怒則肝氣乘矣

怒則氣逆故肝氣乘脾

悲則肺氣乘矣

悲則肺氣發於肝肝氣受邪故肺氣乘矣宣明五氣篇曰精氣并於肺則悲

恐則脾氣乘矣

恐則腎氣發於心腎氣不守故脾氣乘矣宣明五氣篇曰精氣并於腎則恐

憂則心氣乘矣

憂則肝氣發於脾肝氣不守故心氣乘矣宣明五氣篇曰精氣并於肝則憂

此其道也

此其不次之常道

故病有五五五二十五變反其傳化

五藏相并而各五之五五而乘之則二十五變也然其變化以勝相傳傳而不次變化多端

〇新校正云按陰陽別論云凡陽有五五五二十五陽義與此通

傳乘之名也

言傳者何相乘之異名爾

大骨枯槀大肉陷下胷中氣滿喘息不便其氣動形期六月死眞藏脉見乃予之期日

皮膚乾著骨間肉陷謂大骨枯槀大肉陷下也諸附骨際及空窳處亦同其類也胷中氣滿喘息不便是肺無主也肺司治節氣息由之其氣動形爲無氣相接故聳舉肩背以遠求報氣矣夫如是皆形藏已敗神藏亦傷見是證者期後一百八十日内死矣候見眞藏之脉乃與死日之期爾眞藏脉診下經備矣此肺之藏也窳音愈

大骨枯槀大肉陷下胷中氣滿喘息不便内痛

引肩項期一月死眞藏見乃予之期日火精外出陽氣上燔金受火災故內痛肩項如是者期後三十日內死此心之藏也

大骨枯槀大肉陷下胷中氣滿喘息不便內痛引肩項身熱脫肉破䐃眞藏見十月之內死陰氣微弱陽氣內燔故身熱也䐃者肉之標脾主肉故肉如脫盡䐃如破敗也見斯證者期後三百日內死䐃謂肘膝後肉如塊者此脾之藏也䐃渠殞反

大骨枯槀大肉陷下肩髓內消動作益衰眞藏來見期一歲死見其眞藏乃予之期日肩髓內消謂缺盆深也衰於動作謂交接漸微以餘藏尚全故期後三百六十五日內死此腎之藏也○新校正云按全元起本及甲乙經眞藏來見來字當作未字之誤也

大骨枯槁大肉陷下胷中氣滿腹內痛心中不便肩項身熱破䐃脫肉目匡陷眞藏見目不見人立死其見人者至其所不勝之時則死

木生其火肝氣通心脉抵少腹上布脇肋循喉嚨之後上入頏顙故腹痛心中不便肩項身熱破䐃脫肉也肝主目故目匡陷及不見人立死也不勝之時謂於庚辛之月此肝之藏也

急虛身中卒至五藏絶閉脉道不通氣不往來譬於墮溺不可爲期

言五藏相移傳其不勝則可待眞藏脉見乃與死日之期卒急虛邪中於身內則五藏絶閉脉道不通氣不往來譬於墮墜後溺不可與爲死日之期也

其脉絶不來若人一息五六至其形肉不脫眞藏雖不見猶死也是則急虛卒至之脉○新校正云按人一息脉五六至何得爲死必息字誤息當作呼乃是

眞肝脉至中外急如循刀刃責責然如按琴瑟弦色青白不澤毛折乃死眞心脉至堅而搏如循薏苡子累累然色赤黑不澤毛折乃死眞肺脉至大而虛如以毛羽中人膚色白赤不澤毛折乃死眞腎脉至搏而絶如指彈石辟辟然色黑黃不澤毛折乃死眞脾脉至弱而乍數乍踈

色黃青不澤毛折乃死諸眞藏脉見皆死不治也

新校正云按楊上善云無餘物和雜故名眞也五藏之氣皆胃氣和之不得獨用如至剛不得獨用獨用則折和柔用之即固也五藏之氣和於胃氣即得長生若眞獨見必死欲知五藏眞見爲死和胃爲生者於寸口診即可知見者如弦是肝脉也微弦爲平和微弦謂二分胃氣一分弦氣俱動爲微弦三分並是弦而無胃氣爲見眞藏餘四藏準此

黃帝曰見眞藏曰死何也岐伯曰五藏者皆稟氣於胃胃者五藏之本也

胃爲水穀之海故五藏稟焉

藏氣者不能自致於手大陰必因於胃氣乃至

於手太陰也

平人之常稟氣於胃胃氣者平人之常氣故藏氣因胃乃能至於手大陰也○新校正云詳平人之常至下平人之常氣本平人氣象論文王氏引註此經按甲乙經云人常稟氣於胃脉以胃氣為本與此小異然甲乙之文為得

故五藏各以其時自為而至於手大陰也

自為其狀至於手大陰也

故邪氣勝者精氣衰也故病甚者胃氣不能與之俱至於手大陰故真藏之氣獨見獨見者病勝藏也故曰死

是所謂脉無胃氣也平人氣象論曰人無胃氣曰逆逆者死

帝曰善新校正云詳自黃帝問至此一段全元起本在第四卷大陰陽明表裏篇中王氷移於此處必言此者欲明王氏之功於素問多矣

黃帝曰凡治病察其形氣色澤脉之盛衰病之新故乃治之無後其時欲必先時而取之

形氣相得謂之可治氣盛形盛氣虛形虛是相得也

色澤以浮謂之易已氣色浮潤血氣相營故易已

脉從四時謂之可治

脉春弦夏鈎秋浮冬營謂順四時從順也

脉弱以滑是有胃氣命曰易治取之以時

候可取之時而取之則萬舉萬全當以四時血氣所在而為療爾○新校正云詳取之以時甲乙經作治之趍之無後其時與王氏之文兩通

形氣相失謂之難治

形盛氣虚氣盛形虚皆相失也

色夭不澤謂之難已

夭謂不明而惡不澤謂枯燥也

脉實以堅謂之益甚

脉實以堅是邪氣盛故益甚也

脉逆四時爲不可治

以氣逆故疾上四句是謂四難所以下文曰

必察四難而明告之

此四粗之所易語工之所難爲

所謂逆四時者春得肺脉夏得腎脉秋得心脉冬得脾脉其至皆懸絶沉濇者命曰逆四時

春得肺脉秋來見也夏得腎脉冬來見也秋得心脉夏來見也冬得脾脉春來見也懸絶謂如懸物之絶去也

未有藏形於春夏而脉沉濇

新校正云按平人氣象論云而脉瘦義與此同

秋冬而脉浮大名曰逆四時也

未有謂未有藏脉之形狀也

病熱脉靜泄而脉大脫血而脉實病在中脉實堅病在外脉不實堅者皆難治

皆難治者以其與證不相應也○新校正云按平人氣象論云病在中脉虛病在外脉濇堅與此相反此經誤彼論爲得自未有藏形春夏至此與平人氣象論相重註義備於彼

黃帝曰余聞虛實以決死生願聞其情岐伯曰五實死五虛死

五實謂五藏之實五虛謂五藏之虛

帝曰願聞五實五虛岐伯曰脉盛皮熱腹脹前後不通悶瞀此謂五實實謂邪氣盛實然脉盛心也皮熱肺也腹脹脾也前後不通腎也悶瞀肝也瞀莫候反脉細皮寒氣少泄利前後飲食不入此謂五虛虛謂眞氣不足也然脉細心也皮寒肺也氣少肝也泄利前後腎也飲食不入脾也帝曰其時有生者何也岐伯曰漿粥入胃泄注止則虛者活身汗得後利則實者活此其候也全注飲粥得入於胃胃氣和調其利漸止胃氣得實虛者得活言實者得汗外通後得便利自然調平

○三部九候論篇第二十

黃帝問曰：余聞九鍼於夫子，衆多博大，不可勝新校正云：按全元起本在第一卷，篇名決死生。數。余願聞要道，以屬子孫，傳之後世，著之骨髓，藏之肝肺，歃血而受，不敢妄泄。歃血，飲血也。歃，所甲反。令合天道，新校正云：按全元起本云：令合天地。必有終始，上應天光星辰歷紀，下副四時五行，貴賤更立，冬陰夏陽，以人應之奈何？願聞其方。天光謂日月星也。歷紀謂日月行歷於天二十八宿三百六十五度之分紀也。言以人形血氣榮衛周流合時候之遷移應日月之行道道然斗極旋運黃赤道差冬時日依黃道近南故陰多夏時月依黃道近北故陽盛也夫四時五行之氣以王者爲貴相者爲賤也

岐伯對曰妙乎哉問也此天地之至數

道貫精微故云妙問至數謂至極之數也

帝曰願聞天地之至數合於人形血氣通決死生爲之柰何岐伯曰天地之至數始於一終於九焉

九奇數也故天地之數斯爲極矣

一者天二者地三者人因而三之三三者九以應九野

爾雅曰邑外爲郊郊外爲甸甸外爲牧牧外爲林林外爲坰坰外爲野言其遠也○新校正云詳王引爾雅爲證與今爾雅或不同已具前六節藏象論註中古螢反

故人有三部部有三候以決死生以處百病以調虛實而除邪疾

所謂三部者言身之上中下部非謂寸關尺也三部之内經隧由之故察候存亡悉因於是鍼之補寫邪疾可除也

帝曰何謂三部岐伯曰有下部有中部有上部部各有三候三候者有天有地有人也必指而導之乃以爲眞

言必當諮受於師也徵四失論曰受師不卒妄作雜術謬言爲道更名自功妄用砭石後

遺身谷此其識也禮曰疑事無質質成也

上部天兩額之動脈

在額兩傍動應於手足少陽脈氣所行也

上部地兩頰之動脈

在鼻孔下兩傍近於巨髎之分動應於手足陽明脈氣之所行

上部人耳前之動脈

在耳前陷者中動應於手手少陽脈氣之所行也

中部天手太陰也

謂肺脈也在掌後寸口中是謂經渠動應於手

中部地手陽明也

謂大腸脉也在手大指次指岐
骨間合谷之分動應於手也

中部人手少陰也

謂心脉也在掌後銳骨之端神門之分動應
於手也靈樞經持鍼縱捨論問曰少陰無輸
心不病乎對曰其外經病而藏不病故
獨取其經於掌後銳骨之端正謂此也

下部天足厥陰也

謂肝脉也在毛際外羊矢下一寸半陷中五
里之分卧而取之動應於手也女子取大衝
在足大指本節
後二寸陷中是

下部地足少陰也

謂腎脉也在足内踝後跟骨
上陷中大谿之分動應手

下部人足大陰也

謂脾脉也在魚腹上越筋間直五里下箕門之分寬鞏足單衣沉取乃得之而動應於手也候胃氣者當取足趺之上衝陽之分穴中脉動乃應手也○新校正云詳自上部天至此一段舊在當篇之末義不相接此正謂三部九候宜處於斯今依皇甫謐甲乙經編次例自篇末移置此

故下部之天以候肝足厥陰脉行其中也

地以候腎足少陰脉行其中也

人以候脾胃之氣足大陰脉行其中也脾藏與胃以膜相連故以候脾兼候胃也

帝曰中部之候柰何歧伯曰亦有天亦有地亦有人天以候肺手大陰脉當其處也地以候胷中之氣手陽明脉當其處也經云腸胃同候故以候胷中也人以候心手少陰脉當其處也

帝曰上部以何候之歧伯曰亦有天亦有地亦有人天以候頭角之氣位在頭角之分故以候頭角之氣也

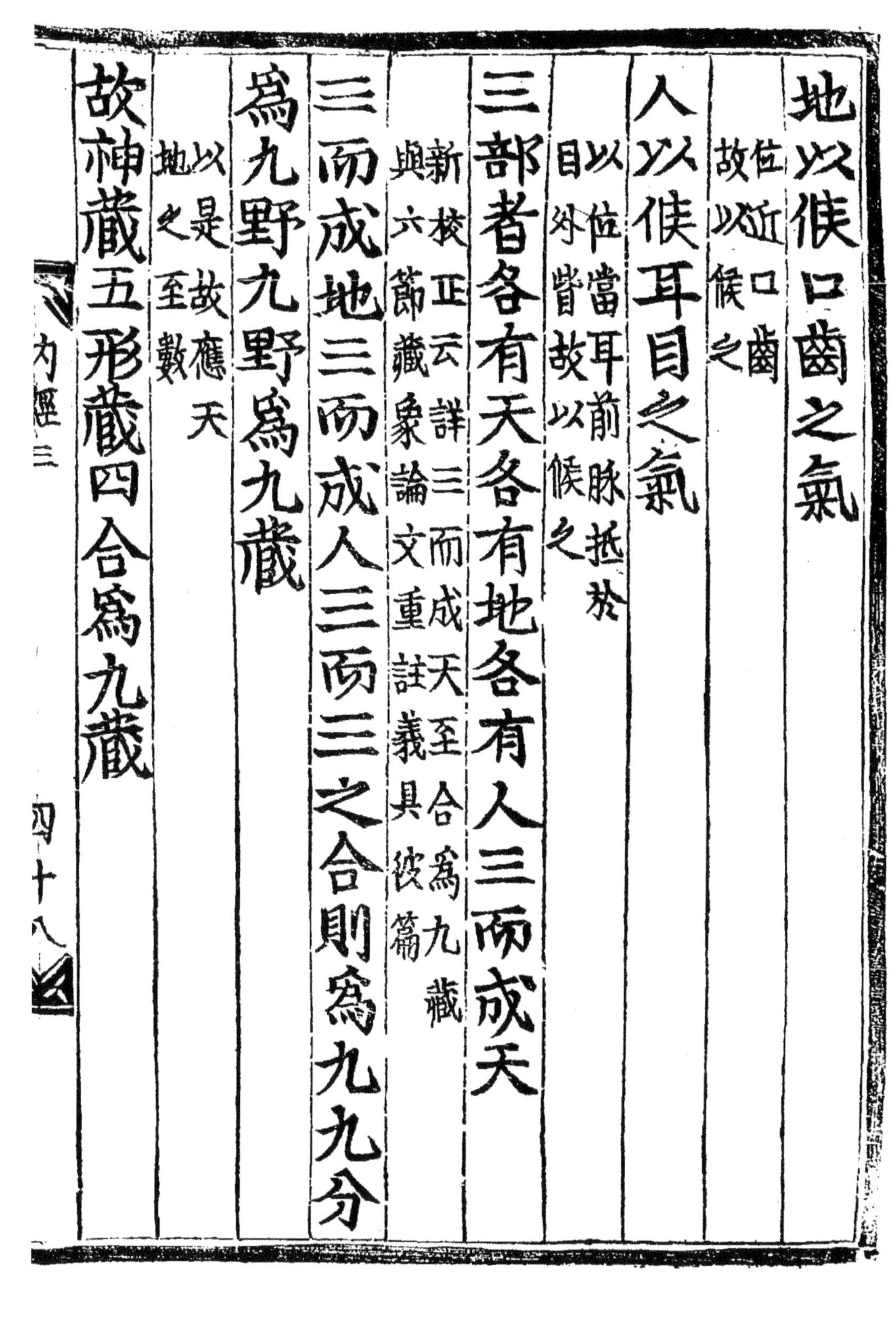

地以候口齒之氣位近口齒故以候之

人以候耳目之氣以位當耳前脉抵於目外眥故以候之

三部者各有天各有地各有人三而成天三而成地三而成人三而三之合則爲九九分新校正云詳三而成天至合爲九藏與六節藏象論文重註義具彼篇

爲九野九野爲九藏以是故應天地之至數

故神藏五形藏四合爲九藏

所謂神藏者肝藏魂心藏神脾藏意肺藏魄腎藏志也以其皆神氣居之故云神藏五也所謂形藏者皆如器外張虛而不屈含藏於物故云形藏也所謂形藏四者一頭角二耳目三口齒四胷中也○新校正云詳註說神藏宣明五氣篇文又與生氣通天論註六節藏象論註重

五藏已敗其色必夭夭必死矣夭謂死色異常之候也色者神之旗藏者神之舍故神去則藏敗藏敗則色見異常之候死也

帝曰以候奈何岐伯曰必先度其形之肥瘦以調其氣之虛實實則寫之虛則補之度謂量也實寫虛補此所謂順天之道也老子曰天之道損有餘補不足也

必先去其血脉而後調之無問其病以平爲期

血脉滿堅謂邪留止故先刺去血而後乃調之不當詢問病者盈虛要以脉氣平調爲之期準爾

帝曰決死生柰何

度形肥瘦調氣盈虛不問病人以平爲準死生之證以決之也

岐伯曰形盛脉細少氣不足以息者危

形氣相反故生氣至危王機眞藏論曰形氣相得謂之可治今脉氣不足形盛有餘證不相扶故當危也危者言其近死猶有生者也刺志論曰氣實形實氣虛形虛此其常也反此者病今脉細少氣是爲氣弱體壯盛是爲形盛形盛氣弱故生氣傾危○新校正按全元起註及甲乙經脉經危並作死字

形瘦脉大胷中多氣者死

是則形氣不足脉氣有餘故死形瘦脉大胷中氣多形藏已傷故云死也凡如是類皆形氣不相得也

形氣相得者生參伍不調者病

參謂參校伍謂類伍參校類伍而有不調謂不率其常則病也

三部九候皆相失者死

失謂氣候不相類也相失之候診凡有七七診之狀如下文云

上下左右之脉相應如參舂者病甚上下左右相失不可數者死

三部九候上下左右凡十八診也如參舂者謂大數而鼓如參舂杵之上下也脉要精微

論曰大則病進故病甚也不可數者謂一息十至已上也脉法曰人一呼脉再至一吸脉亦再至曰平三至曰離經四至曰脫精五至曰死六至曰命盡今相失而不可數者是過十至之外也至五尚死況至十者乎

中部之候雖獨調與衆藏相失者死中部之候相減者死

中部左右凡六診也上部下部已不相應中部獨調固非其久減於上下是亦氣衰故皆死也減謂偏少也○新校正云詳舊無中部之候相減謂減者死八字按全元起註本及甲乙經添之且註有解減之說而經闕其文此脫在王註之後也

目內陷者死

言大陽也大陽之脉起於目內眥目內陷者大陽絕也故死所以言大陽者大陽主諸陽

內經三　五十

之氣故獨言之

帝曰何以知病之所在岐伯曰察九候獨小者病獨大者病獨疾者病獨遲者病獨熱者病獨寒者病獨陷下者病相失之候診凡有七者此之謂也然脈見七診謂參伍不調隨其獨異以言其病爾以左手足上上去踝五寸按之庶右手足當踝而彈之手足皆取之然手踝之上手大陰脈足踝之上足大陰脈足大陰脈主肉應於下部手大陰脈主氣應於中部是以下文云脫肉身不去者死中部乍踈乍數者死○新校正按甲乙經及全元起注本並云以左手足當去踝五寸而按之右手當踝而彈之全元起註云

內踝之上陰交交出通於膀胱係於腎腎爲命門是以取之以明吉凶今文少一而字而多一庶字及足字王註以手足皆取爲解殊爲穿鑿當從全元起註舊本及甲乙經爲正

其應過五寸以上蠕蠕然者不病氣和故也

其應疾中手渾渾然者病中手徐徐然者病渾渾亂也徐徐緩也

其應上不能至五寸彈之不應者死氣絕故不應也

是以脫肉身不去者死穀氣外衰則肉如脫盡天真內竭故身不能行真穀並衰故死之至矣去猶行去也

中部乍踈乍數者死乍踈乍數氣之变亂也故死

其脉代而鈎者病在絡脉鈎謂夏脉又夏氣在絡故病在絡脉也絡脉受邪則經脉滞否故代止也

九候之相應也上下若一不得相失上下若一言遲速小大等也

一候後則病二候後則病甚三候後則病危所謂後者應不俱也俱猶同也一也

察其府藏以知死生之期

夫病入府則愈入藏則死
故死生期準察以知之

必先知經脉然後知病脉

經脉四時
五藏之脉

眞藏脉見者勝死

所謂眞藏脉者真肝脉至中外急如循刀刃
責責然如按琴瑟絃真心脉至堅而搏如循
薏苡子累累然眞脾脉至弱而乍數乍踈眞
肺脉至大而虛如毛羽中人膚眞腎脉至搏
而絕如指彈石辟辟然凡此五者皆謂得眞
藏脉而無胃氣也平人氣象論曰胃者平人
之常氣也人無胃氣曰逆逆者死此之謂也
勝死者謂勝剋於已之時則死也平入氣象
論曰肝見庚辛死心見壬癸死脾見甲乙
死肺見丙丁死腎見戊已死是謂勝死也

足大陽氣絕者其足不可屈伸死必戴眼

足大陽脉起於目内眥上額交巔上從巔入絡腦還出別下項循肩髆内俠脊抵腰中其支者復從肩髆別下貫臀過髀樞下合膕中貫腨循踵至足外側大陽氣絶死如是矣○新校正云按診要經終論載三陽三陰脉終之證此獨記足大陽氣絶一證餘應闕文也又註貫臀甲乙經作貫胂王氏註厥論刺瘧論各作貫胂又註刺腰論作貫臀詳甲乙流註醫當作胂

帝曰冬陰夏陽奈何言死時也

岐伯曰九候之脉皆沉細懸絶者爲陰主冬故以夜半死盛躁喘數者爲陽主夏故以日中死位無常居物極則反也乾坤之爻陰極則龍戰于野陽極則亢龍有悔是以陰陽極脉死

於夜半日中也

是故寒熱病者以平旦死

亦物極則變也平曉木王木氣爲風故木王之時寒熱病死生氣通天論曰因於露風乃生寒熱由此則寒熱之病風薄所爲也

熱中及熱病者以日中死

陽之極也

病風者以日夕死

卯酉衝也

病水者以夜半死

水王故也

其脉乍疎乍數乍遲乍疾者日乘四季死辰戌丑未土寄王之脾氣内絶故日乘四季而死也

形肉已脫九候雖調猶死亦謂形氣不相得也證前脫肉身不去者九候雖平調亦死也

七診雖見九候皆從者不死但九候順四時之令雖七診互見亦生矣從謂順從也

所言不死者風氣之病及經月之病似七診之病而非也故言不死風病之脉診大而數月經之病脉小以微雖候與七診之狀畧同而死生之證乃異故不死也

若有七診之病其脉候亦敗者死矣言雖七診見九候從者不死若病同七診之狀而脉應敗亂縱九候皆順猶不得生也

必發噦噫胃精内竭神不守心故死之時發斯噦噫宣明五氣篇曰心爲噫胃爲噦也

必審問其所始病與今之所方病方正也言必當原其始而要終也

而後各切循其脉視其經絡浮沉以上下逆從循之其脉疾者不病氣強盛故

其脉遲者病

氣不足故

脉不往來者死精神去也

皮膚著者死骨乾枯也

帝曰其可治者柰何岐伯曰經病者治其經求有過者

孫絡病者治其孫絡血有血留止刺而去之○新校正云按甲乙經云絡病者治其絡血無二孫字

血病身有痛者治其經絡

靈樞經曰經脉爲裏支而横者爲絡絡之别者爲孫絡由是孫絡則經之别支而横也○新校正按甲乙經無血病二字

其病者在奇邪奇邪之脉則繆刺之

奇謂奇繆不偶之氣而與經脉繆處也由是故繆刺之繆刺者刺絡脉左取右右取左也

留瘦不移節而刺之

病氣淹留形容減瘦證不移易則消息節級養而刺之此又重明前經無問其病以平爲期者也

上實下虚切而從之索其結絡脉刺出其血以見通之

結謂血結於絡中也血去則經遂通矣前經云先去血脉而後調之明其結絡乃先去也

○新校正云詳經文以見通之甲乙經作以通其氣

瞳子高者太陽不足戴眼者太陽已絕此決死生之要不可不察也

此復明前太陽氣欲絕及已絕之候也

手指及手外踝上五指留鍼

錯簡文也

新刊補註釋文黃帝内經素問卷之三

黄帝素問 四

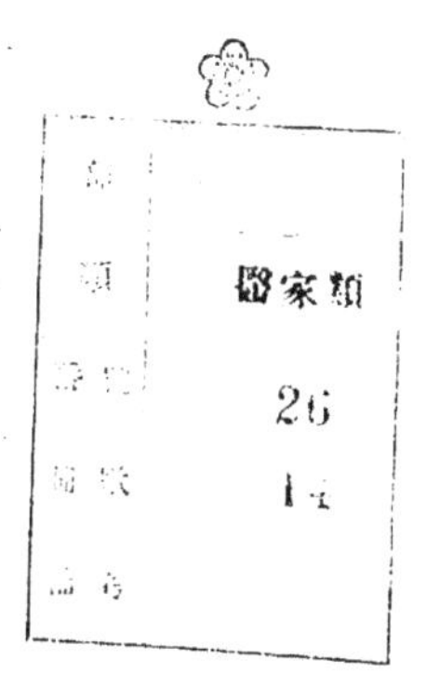

新刊補註釋文黄帝内經素

○經脉别論篇第二十一

新校正云按全元起本在第四卷

黄帝問曰人之居處動静勇怯脉亦爲之變乎

岐伯對曰凡人之驚恐恚勞動静皆爲變也

變謂變易常候

是以夜行則喘出於腎

腎主於夜氣合幽冥故夜行則喘息内從腎出也

淫氣病肺

夜行腎勞因而喘息氣淫不次則病肺也

有所墯恐喘出於肝

恐生於肝墯損筋血因而奔喘故出於肝也

淫氣害脾

肝木妄淫害脾土也

有所驚恐喘出於肺

驚則心無所依神無所歸氣亂胷中故喘出於肺也

淫氣傷心

驚則神越故氣淫反傷心矣

度水跌仆喘出於腎與骨

濕氣通腎骨腎主之故度水跌仆喘出腎骨矣跌謂足跌仆謂身倒也〔跌〕音迭〔仆〕音付

當是之時勇者氣行則已怯者則著而爲病也
氣有強弱神有壯懦故殊狀也
故曰診病之道觀人勇怯骨肉皮膚能知其情以爲診法也
通達性懐得其情狀乃爲深識診契物宜也
故飲食飽甚汗出於胃
飽甚胃滿故汗出於胃也
驚而奪精汗出於心
驚奪心精神氣浮越陽内薄之故汗出於心也
持重遠行汗出於腎

骨勞氣越腎復過疲故持重遠行汗出於腎也

疾走恐懼汗出於肝

暴役於筋肝氣罷極故疾走恐懼汗出於肝也

搖體勞苦汗出於脾

搖體勞苦謂動作施力非疾走遠行也然動作用力則谷精四布脾化水谷故汗出於脾也

故春秋冬夏四時陰陽生病起於過用此為常也

不適其性而強云為過即病生此其常理五藏受氣蓋有常分用而過耗是以病生故下文曰

食氣入胃散精於肝淫氣於筋

肝養筋故胃散谷精之氣入於肝則浸淫滋養於筋絡矣

食氣入胃濁氣歸心淫精於脉

濁氣穀氣也心居胃上故谷氣歸心淫溢精微入於脉也何者心主脉故

脉氣流經經氣歸於肺肺朝百脉輸精於皮毛

言脉氣流運乃爲大經經氣歸宗上朝於肺肺爲華盖位復居高治節由之故受百脉之朝會也平人氣象論曰藏真高於肺以行榮衛陰陽由此故肺朝百脉然乃布化精氣輸於皮毛矣

毛脉合精行氣於府

府謂氣之所聚處也是謂氣海在兩乳間名曰膻中也

府精神明留於四藏氣歸於權衡
膻中之布氣者分爲三隧其下者走於氣街
上者走於息道宗氣留於海積於胷中命曰
氣海也如是分化乃四藏安定三
焦平均中外上下各得其所也
權衡以平氣口成寸以決死生
三世脉法皆以三寸爲寸關尺之分故中外
高下氣緒均平則氣口之脉而成寸也夫氣
口者脉之大要會也百脉
盡朝故以其分決死生也
飲入於胃遊溢精氣上輸於脾
水飲流下至於中焦水化精微上爲雲霧雲
霧散變乃注於脾靈樞經曰上焦如霧中焦
如漚此
之謂也
脾氣散精上歸於肺通調水道下輸膀胱

水土合化上滋肺金金氣通腎故調水道轉注下焦膀胱禀化乃爲溲矣靈樞經曰下焦如瀆此之謂也

水精四布五經並行合於四時五藏陰陽揆度以爲常也

從是水精布經氣行筋骨成血氣順配合四時寒暑證符五藏陰陽揆度盈虛用爲常道度量也以用也○新校正云按一本云陰陽動靜

太陽藏獨至厥喘虛氣逆是陰不足陽有餘也

陰謂腎陽謂膀胱也故下文曰

表裏當俱寫取之下俞

陽獨至謂陽氣盛至也陽獨至爲陽有餘陰不足則陽邪入故表裏俱寫取足六俞也下

俞足俞也○新校正云詳六當爲穴字之誤也按府有六俞藏止五俞今藏府俱寫不當言六俞六俞則不能兼藏言穴俞則藏府兼舉

陽明藏獨至是陽氣重并也當寫陽補陰取之下俞

陽氣重并故寫陽補陰

少陽藏獨至是厥氣也蹻前卒大取之下俞

蹻謂陽蹻脉在足外踝下足少陽脉行抵絶骨之端下出外踝之前循足跗然蹻前卒大則少陽之前盛也故取足俞少陽也

少陽獨至者一陽之過也

一陽少陽也過謂大過也以其大過故蹻前卒大焉

大陰藏搏者用心省眞

見大陰之脉伏鼓則當用心省察之若是眞藏之脉不當治也

五脉氣少胃氣不平三陰也

三陰太陰脾之脉也五藏脉少胃氣不調是亦太陰之過也

宜治其下俞補陽寫陰

以陰氣大過故

一陽獨嘯少陽厥也

嘯謂耳中鳴如嘯聲也膽及三焦脉皆入耳故氣逆上則耳中鳴○新校正云詳此上明三陽此言三陰今此再言少陽而不及少陰者疑此一陽乃二陰之誤也又按全元起本此爲少陰厥顯知此即二陰也

陽并於上四脉爭張氣歸於腎心脾肝肺四脉爭張陽并於上者是腎氣不足故氣歸於腎也宜治其經絡寫陽補陰陰氣足則陽氣不復并於上矣一陰至厥陰之治也真虛痟心厥氣留薄發爲白汗調食和藥治在下俞一或作二誤也厥陰一陰也上言二陰至則當少陰治下言厥陰治則當一陰至也然三猶之經俗久淪墜人少披習字多傳寫誤痟烏玄反骨節疼也帝曰大陽藏何象岐伯曰象三陽而浮也帝曰少陽藏何象岐伯曰象一陽也一陽藏者滑而

不實也帝曰陽明藏何象岐伯曰象大浮也

新校正云按太素及全元起本云象心之大浮也

大陰藏搏言伏鼓也二陰搏至腎沉不浮也

明前獨至之脉狀也○新校正云詳前脘二陰此無一陰闕文可知

○藏氣法時論篇第二十二

新校正云按全元起本在第一卷又於第六卷脉要篇末重出

黄帝問曰合人形以法四時五行而治何如而從何如而逆得失之意願聞其事岐伯對曰五行者金木水火土也更貴更賤以知死生以決成敗而定五藏之氣間甚之時死生之期也帝

曰願卒聞之岐伯曰肝主春

以應木也

足厥陰少陽主治

厥陰肝脉少陽膽脉肝與膽合故治同

其日甲乙

甲乙爲木東方干也

肝苦急急食甘以緩之

甘性和緩○新校正云按全元起本云肝苦急是其氣有餘

心主夏

以應火也

手少陰太陽主治少陰心脉太陽小腸脉心與小腸合故治同

其日丙丁丙丁爲火南方干也

心苦緩急食酸以收之酸性收斂○新校正云按全元起本云心苦緩是心氣虛

脾主長夏長夏謂六月也夏爲土母土長於中以長而治故云長夏○新校正云按全元起云脾王四季六月是火王之處蓋以脾主中央六月是十二月之中一年之半故脾王六月也

足太陰陽明主治

太陰脾脉陽明胃脉脾與胃合故治同

其日戊己

戊己爲土中央干也

脾苦濕急食苦以燥之

苦性乾燥

肺主秋

以應金也

手太陰陽明主治

太陰肺脉陽明大腸脉肺與大腸合故治同

其日庚辛

庚辛爲金西方干也

肺苦氣上逆急食苦以泄之

苦性宣泄故肺用之○新校正云按全元起云肺氣上逆是其氣有餘

腎主冬

以應水也

是少陰太陽主治

少陰腎脉太陽膀胱脉腎與膀胱合故治同

其日壬癸

壬癸爲水北方干也

腎苦燥急食辛以潤之開腠理致津液通氣也

辛性津潤也然腠理開津液達則肺氣下流腎與肺通故云通氣也

病在肝愈於夏

子制其鬼也餘愈同

夏不愈甚於秋

子休鬼復王也餘甚同

秋不死持於冬

鬼休而母養故氣執持於父母之鄉也餘持同

起於春

自得其位故復起餘起同

禁當風

以風氣通於肝故禁而勿犯

肝病者愈在丙丁

丙丁應夏

丙丁不愈加於庚辛

庚辛應秋

庚辛不死持於壬癸

壬癸應冬

起於甲乙

應春木也

肝病者平旦慧下晡甚夜半静

木王之時故爽慧也金王之時故加甚也水王之時故靜退也餘慧甚同其靜小異

肝欲散急食辛以散之

以藏氣當散故以辛發散也陰陽應象大論曰辛甘發散爲陽也平人氣象論曰藏眞散

於肝言其常發散也

用辛補之酸寫之

辛味散故補酸味收故寫○新校正云按全元起本云用酸補之辛寫之自爲一義

病在心愈在長夏長夏不愈甚於冬冬不死持

於春起於夏

如肝例也

禁溫食熱衣

熱則心躁故禁止之

心病者愈在戊己

戊己應長夏也

戊己不愈加於壬癸

壬癸應冬

壬癸不死持於甲乙

甲乙應春

起於丙丁

應夏火也

心病者日中慧夜半甚平旦靜

亦休王之義也

心欲耎急食鹹以耎之

以藏氣好耎故以鹹柔耎也平人氣象論曰藏真通於心言其常欲柔耎也

用鹹補之甘寫之

鹹補取其柔耎甘寫取其舒緩

病在脾愈在秋秋不愈甚於春春不死持於夏起於長夏禁溫食飽食濕地濡衣

溫濕及飽並傷脾氣故禁止之

脾病者愈在庚辛

應秋氣也

庚辛不愈加於甲乙

應春氣也

甲乙不死持於丙丁

應夏氣也

起於戊己

應長夏也

脾病者日昳慧日出甚

新校正云按甲乙經日出作平旦雖日出與平旦時等按前文言木王之時皆云平旦而不云日出盖日出於冬夏之期有早晩不若平旦之爲得也

下晡靜

土王則爽慧木剋則增甚金扶則靜退亦休王之義也一本或云日中持者謬也爰五藏之病皆以勝相加至其所生而愈至其所不勝而甚至於所生而持自得其位而起由是故皆有間甚之時死生之期也

脾欲緩急食甘以緩之甘性和緩順其靜也用苦寫之甘補之苦寫取其堅燥甘補取其安緩

病在肺愈在冬冬不愈甚於夏夏不死持於長夏起於秋例如肝也

禁寒飲食寒衣肺惡寒氣故衣食禁之靈樞經曰形寒寒飲則傷肺飲尚傷肺其食甚焉肺不獨惡寒亦畏熱也

肺病者愈在壬癸應冬水也

壬癸不愈加於丙丁應夏火也

丙丁不死持於戊已長夏土也

起於庚辛

應秋金也

肺病者下晡慧日中甚夜半靜金王則慧水王則靜火王則甚

肺欲收急食酸以收之以酸性收斂故也

用酸補之辛寫之酸收斂故補辛發散故寫

病在腎愈在春春不愈甚於長夏長夏不死持於秋起於冬例如肝也

禁犯焠烪熱食溫炙衣腎性惡燥故此禁之○新校正云按別本焠作悴青對反烪烏來反煩熱也

腎病者愈在甲乙應春木也

甲乙不愈甚於戊己長夏土也

戊己不死持於庚辛應秋金也

起於壬癸應冬水也

腎病者夜半慧四季甚下晡靜

水王則慧土王則甚金王則靜

腎欲堅急食苦以堅之

以苦性堅燥也

用苦補之醎寫之

苦補取其堅也醎寫取其耎也耎濕土制也故用寫之

夫邪氣之客於身也以勝相加

邪者不正之目風寒暑濕飢飽勞逸皆是邪也非唯鬼毒疫癘也

至其所生而愈

謂至已所生也

至其所不勝而甚

謂至剋己之氣也

至於所生而持

謂至生己之氣也

自得其位而起

居所主處謂自得其位也

必先定五藏之脉乃可言間甚之時死生之期也

五藏之脉者謂肝弦心鉤肺浮腎營脾代知是則可言死生間甚矣三部九候論曰必先知經脉然後知病脉此之謂也

肝病者兩脇下痛引少腹令人善怒

肝厥陰脉自足而上環陰器抵少腹又上貫肝鬲布脇肋故兩脇下痛引少腹也其氣實則善怒靈樞經曰肝氣實則怒

虛則目䀮䀮無所見耳無所聞善恐如人將捕之

肝厥陰脉自脇肋循喉嚨入頏顙連目系膽少陽脉其支者從耳後入耳中出走耳前至目銳眥後故病如是也恐謂恐懼魂不安也

取其經厥陰與少陽

經謂經脉也非其絡病故取其經也取厥陰以治肝氣取少陽以調氣逆也故下文曰

氣逆則頭痛耳聾不聰頰腫

肝厥陰脉自目系上出額與督脉會於巔故頭痛膽少陽脉支別者從耳中出走耳前又支別者加頰車又厥陰之脉支別者從目系下頰裏故耳聾不聰頰腫也是以上文兼取少陽也

取血者

脇中血滿獨異於常乃氣逆之診隨其左右有則刺之

心病者胷中痛脇支滿脇下痛膺背肩胛間痛兩臂內痛

心少陰脉支別者循胷出脇又手心主厥陰之脉起於胷中其支別者亦循胷出脇下腋三寸上抵腋下下循臑內行太陰少陰之間入肘中下循臂行兩筋之間又心少陰之脉直行者復從心系却上肺上出腋下下循臑內後廉行太陰心主之後下肘內循臂內後

廉抵掌後銳骨之端又小腸太陽之脉自臂臑上繞肩胛交肩上故病如是臑人朱反

虛則胷腹大脇下與腰相引而痛

手心主厥陰之脉從胷中出屬心包下鬲歷絡三焦其支別者循胷出脇心少陰之脉自心系下鬲絡小腸故病如是也

取其經少陰太陽舌下血者

少陰之脉從心系上俠咽喉故取舌本下及經脉血也

其變病刺郄中血者

其或嘔變則刺少陰之郄血滿者也手少陰之郄在掌後脉中去腕半寸當小指之後

脾病者身重善飢肉痿足不收行善瘈脚下痛

脾象土而主肉故身重肉痿也痿謂痿弱無力也脾太陰之脉起於足大指之端循指內側

上內踝前廉上腨內腎少陰之脉起於足小指之下斜趍足心上腨內出膕內廉故病則足不收行善瘈脚下痛也故下取少陰○新校正云按甲乙經作善飢肌肉痿千金方云善飢足痿不收氣交變大論云肌肉萎足痿不收行善瘈[illegible]於危反瘈病也足不能行也[illegible]音係小兒病又尺制反

虛則腹滿腸鳴飧泄食不化

脾太陰脉從股內前廉入腹屬脾絡胃故病如是靈樞經曰中氣不足則腹爲之善滿腸爲之善鳴也

取其經太陰陽明少陰血者

少陰腎脉也以前病行善瘈脚下痛故取之而出血血滿者出之

肺病者喘欬逆氣肩背痛

新校正云按千金方作肩息背痛

汗出尻陰股膝

新校正云按甲乙經脉經作膝攣

髀腨胻足皆痛

肺藏氣而主喘息在變動為欬故病則喘欬逆氣也背為胷中之府肩接近之故肩背痛也肺養皮毛邪盛則心液外泄故汗出也腎少陰之脉從足下上循腨内出膕内廉上股内後廉貫脊屬腎絡膀胱今肺病則腎脉受邪故尻陰股膝髀腨胻足皆痛故下取少陰也尻苦刀反腨時轉反跟也胻胡郎反脛也

虛則少氣不能報息耳聾嗌乾

氣虛少故不足以報入息也肺太陰之絡會於耳中故聾也腎少陰之脉從腎上貫肝鬲

入肺中循喉嚨俠舌本今肺虛則腎氣不足以上潤於嗌故嗌乾也是以下文兼取少陰也

取其經太陰足太陽之外厥陰內血者

足太陽之外厥陰內者正謂腨內側內踝後之直上則少陰脉也視左右足脉少陰部分有血滿異於常者即而取之

腎病者腹大脛腫

新校正云按甲乙經云脛腫痛

喘欬身重寢汗出憎風

腎少陰脉起於足而上循腨復從橫骨中俠臍循腹裏上行而入肺故腹大脛腫而喘欬也腎病則骨不能用故身重也腎邪攻肺心氣內微心液爲汗故寢汗出也脛既腫矣汗

復津泄陰凝玄府陽爍上焦肉熱外寒故憎風也憎風謂深惡之也

虛則胷中痛大腹小腹痛清厥意不樂

腎少陰脉從肺出絡心注胷中然腎氣既虛心無所制心氣熏肺故痛聚胷中也足太陽脉從項下行至足腎虛則太陽之氣不能盛行於足故足冷而氣逆也請謂氣清冷厥謂氣逆也以清冷氣逆故大腹小腹痛志不足則神躁擾故不樂也○新校正云按甲乙經大腹小腹作大腸小腸

取其經少陰太陽血者

凡刺之道虛則補之實則寫之不盛不虛以經取之是謂得道經絡有血刺而去之是謂守法猶當揣形定氣先去血脉而後乃平有餘不足焉三部九候論曰必先度其形之肥瘦以調其氣之虛實實則寫之虛則補之必先去其血脉而後調之此之謂也

肝色青宜食甘粳米牛肉棗葵皆甘肝性喜急故食甘物而取其寬緩也○新校正云詳肝色青至篇末全元起本在第六卷王氏移於此

心色赤宜食酸小豆新校正云按甲乙經太素小豆作麻犬肉李韭皆酸心性喜緩故食酸物而取其收斂也

肺色白宜食苦麥羊肉杏薤皆苦肺喜氣逆故食苦物而取其宣泄也

脾色黄宜食鹹大豆豕肉栗藿皆鹹

究斯宜食乃調利關機之義也腎爲胃關脾與胃合故假鹹柔耎以利其關關利而胃氣乃行胃行而脾氣方化故應脾宜味與衆不同也○新校正云按上文曰肝苦急急食甘以緩之心苦緩急食酸以收之脾苦濕急食苦以燥之肺苦氣上逆急食苦以泄之腎苦燥急食辛以潤之此肝心肺腎食宜皆與前文合獨脾食鹹不用苦故王氏特註其義

腎色黑宜食辛黃黍雞肉桃葱皆辛

腎性喜燥故食辛物而取其津潤也

辛散酸收甘緩苦堅鹹耎

皆自然之氣也然辛味苦味匪唯堅散而已辛亦能潤能散苦亦能燥能泄故上文曰脾苦濕急食苦以燥之肺苦氣上逆急食苦以泄之則其謂苦之燥泄也又曰腎苦燥急食辛以潤之則其謂辛之濡潤也　耎音軟

毒藥攻邪

藥謂金玉土石草木菜果虫魚鳥獸之類皆可以袪邪養正者也然辟邪安正惟毒乃能以其能然故通謂之毒藥也○新校正云按本草云下藥為佐使主治病以應地多毒不可久服欲除寒熱邪氣破積聚愈疾者本下經故云毒藥攻邪

五穀為養

謂粳米小豆麥大豆黄黍也

五果為助

謂桃李杏栗棗也

五畜為益

謂牛羊豕犬雞也

五菜爲充

謂葵藿薤葱韭也。新校正云按五常政大論曰大毒治病十去其六常毒治病十去其七小毒治病十去其八無毒治病十去其九穀肉果菜食養盡之無使過之傷其正也

氣味合而服之以補精益氣

氣謂陽化味謂陰施氣味合和則補益精氣矣陰陽應象大論曰陽爲氣陰爲味味歸形形歸氣氣歸精精歸化精食氣形食味又曰形不足者溫之以氣精不足者補之以味由是則補精益氣其義可知。新校正云按孫思邈云精以食氣氣養精以榮色形以食味味養形形以生力精順五氣以爲靈也若食相惡則傷精也形受味以成也若食味不調則損形也是以聖人先用食禁以存性後制藥以防命氣味溫補以存精形此之謂氣味合而服之以補精益氣也

此五者有辛酸甘苦鹹各有所利或散或收或緩或急或堅或耎四時五藏病隨五味所宜也

用五味而調五藏配肝以甘心以酸脾以鹹肺以苦腎以辛者各隨其宜欲緩欲收欲耎欲泄欲散欲堅而爲用非以相生相養而爲義也

○宣明五氣篇第二十三

新校正云按全元起本在第一卷

五味所入酸入肝

肝合木而味酸也

辛入肺

肺合金而味辛也

苦入心

心合火而味苦也

鹹入腎

腎合水而味鹹也

甘入脾

脾合土而味甘也○新校正云按太素又云淡入胃

是謂五入

新校正云按至眞要大論云夫五味入胃各歸所喜攻酸先入肝苦先入心甘先入脾辛先入肺鹹先入腎

五氣所病心爲噫

象火炎上烟隨焰出心不受穢故噫出之

肺爲欬

象金堅勁扣之有聲邪擊於肺故爲欬也欬苦盖反

肝爲語

象木枝條而形支别語宣委曲故出於肝

脾爲吞

象土包容物歸於内翕如皆受故爲吞也翕音吸

腎爲欠爲嚔

象水下流上生雲霧氣鬱於胃故欠生焉太陽之氣和利而備於心出於鼻則生嚔嚔音帝

胃爲氣逆爲噦爲恐

以爲水穀之海腎與爲關關閉不利則氣逆而上行也以包容水穀性喜受寒寒穀相薄故爲噦也寒盛則噦起熱盛則恐生何者胃熱則腎氣微弱故爲恐也下文曰精氣并於腎則恐也噦呼會反鳥聲也

大腸小腸爲泄下焦溢爲水

大腸爲傳道之府小腸爲受盛之府受盛之氣既虛傳道之司不禁故爲泄利也下焦爲分注之所氣窒不寫則溢而爲水窒陟栗反

膀胱不利爲癃不約爲遺溺

膀胱爲津液之府水注由之然足三焦脉實約下焦而不通則不得小便足三焦脉虛不約下焦則遺溺也靈樞經曰足三焦者太陽之別也並太陽之正入絡膀胱約下焦實則

閉癃虛則遺溺

膽爲怒

中正決斷無私無偏其性剛決故爲怒也六節藏象論曰九十一藏取決於膽也

是謂五病○五精所并精氣并於心則喜

精氣謂火之精氣也肺虛而心精并之則爲喜靈樞經曰喜樂無極則傷魄魄爲肺神明

心火并於肺金也

并於肺則悲

肝虛而肺氣并之則爲悲靈樞經曰悲哀動中則傷魂魂爲肝神明肺金并於肝木也

并於肝則憂

脾虛而肝氣并之則爲憂靈樞經曰愁憂不解則傷意意爲脾神明肝木并於脾土

并於脾則畏本經云飢也腎虛而脾氣并之則爲畏畏爲畏懼也靈樞經曰恐懼而不解則傷精精爲腎神明脾土并於腎水也

并於腎則恐心虛而腎氣并之則爲恐靈樞經曰怵惕思慮則傷神神爲心主明腎水并於心火也怵惕驚懼也此皆正氣不足而勝氣并之乃爲是矣故下文曰

是謂五并虛而相并者也○五藏所惡心惡熱熱則脉濆濁

肺惡寒寒則氣留滯

肝惡風風則筋燥急

脾惡濕濕則肉痿腫

腎惡燥燥則精竭涸○新校正云按楊上善云若今燥在於秋寒在於冬燥之終也肺在於秋則云肺惡燥今此肺惡寒腎惡燥者燥在於秋寒之始也寒在於冬燥之終也肺在於秋以肺惡寒之甚故言其終腎在於冬腎惡不甚故言其始也言

是謂五惡○五藏化液心爲汗泄於皮腠也

肺爲涕潤於鼻竅也

肝爲淚注於眼目也

脾爲涎溢於脣口也

腎爲唾生於牙齒也

是謂五液○五味所禁辛走氣氣病無多食辛病謂力少不自勝也

鹹走血血病無多食鹹苦走骨骨病無多食苦新校正云按皇甫士安云鹹先走腎此云走血者腎合三焦血脉雖屬肝心而爲中焦之道故鹹入而走血也苦走心此云走骨者水火相濟骨氣通於心也甘走肉肉病無多食甘酸走筋筋病無多食酸是皆爲行其氣速故不欲多食多食則病甚故病者無多食也是謂五禁無令多食新校正云按太素五禁云肝病禁辛心病禁鹹脾病禁酸肺病禁苦腎病禁甘名此爲五裁楊上善云口嗜而欲食之不可多也必自裁之命曰五裁

○五病所發陰病發於骨陽病發於血陰病發於肉

骨肉陰静故陽氣從之血脉陽動故陰氣乗之

陽病發於冬陰病發於夏

夏陽氣盛故陰病發於夏冬陰氣盛故陽病發於冬各隨其少也

是謂五發○五邪所亂邪入於陽則狂邪入於陰則痺

邪居於陽脉之中則四支熱盛故爲狂邪入於陰脉之内則六經凝泣而不通故爲痺

音澁

搏陽則爲巔疾

邪内搏於陽則脉流薄疾故爲上巔之疾

搏陰則爲瘖

邪内搏於陰則脉不流故令瘖不能言○新校正云按難經云重陽者狂重陰者癲巢元方云邪入於陰則為癲脉經云陰附陽則狂陽附陰則癲孫思邈云邪入於陽則為狂邪入於陰則為血痺邪入於陽傳則為癲瘂邪入於陰傳則為痛瘖全元起云邪已入陰復傳於陽邪氣盛府藏受邪使其氣不朝榮氣不復周身邪與正氣相擊發動為癲疾邪已入陽陽今復傳於陰藏府受邪故不能言是勝陽正也諸家之論不同今具載之

陽入之陰則靜陰出之陽則怒隨所之而為疾也之往也○新校正云按全元起云陽入陰則為靜出則為恐千金方云陽入於陰病靜陰出於陽病怒

是謂五亂○五邪所見春得秋脉夏得冬脉長夏得春脉秋得夏脉冬得長夏脉名曰陰出之

陽病善怒不治是謂五邪皆同命死不治

新校正云按陰出之陽病善怒已見前條此再言之文義不倫必古文錯簡也

○五藏所藏心藏神

精氣之化成也靈樞經曰兩精相薄謂之神

肺藏魄

精氣之匡佐也靈樞經曰並精而出入者謂之魄

肝藏魂

神氣之輔弼也靈樞經曰隨神而往來者謂之魂

脾藏意

記而不忘者也靈樞經曰心有所憶謂之意

腎藏志

專意而不移者也靈樞經曰意之所存謂之志腎受五藏六府之精元氣之本生成之根爲胃之關是以志能則命通○新校正云按楊上善云腎有二枚左爲腎藏志右爲命門藏精也

是謂五藏所藏○五藏所主心主脉

壅遏榮氣應息而動也

肺主皮

包裹筋肉閉拒諸邪也

肝主筋

束絡機關隨神而運也

脾主肉
覆藏筋骨通行衛氣也

腎主骨
張筋化髓幹以立身也

是謂五主○五勞所傷久視傷血
勞於心也

久卧傷氣
勞於肺也

久坐傷肉
勞於脾也

久立傷骨勞於腎也

久行傷筋勞於肝也

是謂五勞所傷○五脉應象肝脉絃耎虛而滑端直以長也

心脉鉤如鉤之偃來盛去衰也

脾脉代耎而弱也

肺脉毛 輕浮而虛如毛羽也

腎脉石 沉堅而搏如石之投也

是謂五藏之脉

○血氣形志篇第二十四 新校正云按全元起本此篇併在前篇王氏分出爲别篇

夫人之常數太陽常多血少氣少陽常少血多氣陽明常多氣多血少陰常少血多氣厥陰常多血少氣太陰常多氣少血此天之常數

氣血多少此天之常數故用鍼之道常寫其多也○新校正云按甲乙經十二經水篇云陽明多血多氣刺深四分留十呼太陽多血多氣刺深五分留七呼少陽少血多氣刺深四分留五呼太陰多血少氣刺深三分留四呼少陰少血多氣刺深二分留三呼厥陰多血少氣刺深一分留二呼太陽太陰血氣多少與素問不同又陰陽二十五人形性血氣不同篇與素問同蓋皇甫疑而兩存之也

足太陽與少陰爲表裏少陽與厥陰爲表裏陽明與太陰爲表裏是爲足陰陽也手太陽與少陰爲表裏少陽與心主爲表裏陽明與太陰為表裏是爲手之陰陽也今知手足陰陽所苦凡治病必先去其血乃去其所苦伺之所欲然後

寫有餘補不足先去其血謂見血脉盛滿獨異於常者乃去之不謂常刺則先去其血也

欲知背俞先度其兩乳間中折之更以他草度去半已即以兩隅相拄也乃舉以度其背令其一隅居上齊脊大椎兩隅在下當其下隅者肺之俞也度謂度量也言以草量其乳間四分去一使斜與橫等折為三隅以上隅齊脊大椎則兩隅下當肺俞也拄知俞反

復下一度心之俞也謂以上隅齊脊三椎也

復下一度左角肝之俞也右角脾之俞也復下一度腎之俞也是謂五藏之俞灸刺之度也

靈樞經及中誥咸云肺俞在三椎之傍心俞在五椎之傍肝俞在九椎之傍脾俞在十一椎之傍腎俞在十四椎之傍尋此經草量之法則合度之人其初度兩隅之下約當肺俞再度兩隅之下約當心俞三度兩隅之下約當七椎七椎之傍乃鬲俞之位此經云左角肝之俞右角脾之俞殊與中誥等經不同又四度則兩隅之下約當九椎九椎之傍乃肝俞也經云腎俞未究其源

形樂志苦病生於脉治之以灸刺

形謂身形志謂心志細而言之則七神殊守逸而論之則約形志以爲中外爾然形樂謂不甚勞役志苦謂結慮深思不甚勞役則筋骨平調結慮深思則榮衛乖否氣血不順故

病生於脉焉夫盛寫虚補是灸刺之道猶當去其血絡而後調之故上文曰凡治病必先去其血乃去其所苦伺之所欲然後寫有餘補不足則其義也

形樂志樂病生於肉治之以鍼石

志樂謂悦懌忘憂也然筋骨不勞心神悦懌則肉理相比氣道滿填衛氣怫結故病生於肉也夫衛氣留滿以鍼寫之結聚膿血石而破之石謂石鍼則砭石也今亦以鈹鍼代之

【鈹】音鈹

形苦志樂病生於筋治之以熨引

形苦謂修業就役也然修業以爲就役而作一過其用則致勞傷勞用以傷故病生於筋熨謂藥熨引謂導引

形苦志苦病生於咽嗌治之以百藥

修業就役結慮深思憂則肝氣并於脾肝與膽合嗌爲之使故病生於嗌也宣明五氣篇曰精氣并於肝則憂奇病論曰肝者中之將也取決於膽咽爲之使也○新校正云按甲乙經咽嗌作困竭百藥作甘藥

形數驚恐經絡不通病生於不仁治之以按摩醪藥驚則脉氣併恐則神不收脉併神遊故經絡不通而爲不仁之病矣夫按摩者所以開通閉塞導引陰陽醪藥者所以養正袪邪調中理氣故方之爲用宜以此焉醪藥謂酒藥也不仁謂不應其用則㾽痹矣

是謂五形志也刺陽明出血氣刺太陽出血惡氣刺少陽出氣惡血刺太陰出氣惡血刺少陰

出氣惡血刺厥陰出血惡氣也

明前三陽三陰血氣多少之刺納也新校正云按太素云刺陽明出血氣刺太陰出血氣楊上善註云陽明太陰雖爲表裏其血氣俱盛故並寫血氣如是則太陰與陽明等俱爲多血多氣前文太陰一云多血少氣一云多氣少血莫可的知詳太素血氣並寫之旨則二說俱未爲得自與陽明同爾又此刺陽明一節宜續前寫有餘補不足下不當隔在草度法五形志後

○寶命全形論篇第二十五

新校正云按全元起本在第六卷名刺禁

黃帝問曰天覆地載萬物悉備莫貴於人人以天地之氣生四時之法成

天以德流地以氣化德氣相合而乃生焉易曰天地絪緼萬物化醇此之謂也則假以温涼寒暑生長收藏四時運行而方成立

君王衆庶盡欲全形

貴賤雖殊然其寶命一矣故好生惡死者貴賤之常情也

形之疾病莫知其情留淫日深著於骨髓心私慮之

新校正云按太素慮作患

余欲鍼除其疾病爲之奈何

虛邪之中人微先見于色不知于身有形無形故莫知其情狀也留而不去淫衍日深邪氣襲虛故著於骨髓帝矜不度故請行其鍼○新校正云按别本不度作不庶

歧伯對曰夫鹽之味鹹者其氣令器津泄

鹹謂鹽之味苦浸淫而潤物者也夫鹹爲苦而生鹹從水而有水也潤下而苦泄故能令器中水津液潤滲泄焉凡虛中而受物者皆謂之器其於体外則謂陰囊其於身中所同則謂膀胱矣然以病配於五藏則心氣伏於腎中而不去乃爲是矣何者腎象水而味鹹心合火而味苦苦流汗液鹹走胞囊火爲水持故陰囊之外津潤如汗而滲泄不止也凡鹹之爲氣天陰則潤在土則浮在人則囊濕而皮膚剝起

絃絕者其音嘶敗

陰囊津液而脉絃絕者診當言音嘶嗄敗易舊聲爾何者肝氣傷也肝氣傷則金本缺金本缺則肺氣不全肺主音聲故言音嘶嗄〔嗄〕所嫁反

木敷者其葉發

敷布也言木氣散布外榮於腑部者其病當發於肺葉之中也何者以木氣發散故也平人氣象論曰藏眞散於肝肝又合木也

病深者其聲噦

噦謂聲濁惡也肺藏惡血故如是

人有此三者是謂壞府

府謂胷也以肺處胷中故也壞謂損壞其府而取病也抱朴子云仲景開胷以納赤餅由此則胷可啓之而取病矣三者謂脉弦絕肺葉發聲濁噦也

毒藥無治短鍼無取此皆絕皮傷肉血氣爭黑

病內遺於肺中故毒藥無治外不在於經絡故短鍼無取是以絕皮傷肉乃可攻之以惡血久與肺氣交爭故當血見而色黑也△新校正云詳岐伯之對與黃帝所問不相當別

按太素云夫鹽之味鹹者其氣令器津泄弦絕者其音嘶敗木之陳者其葉落病深者其聲噦人有此三者是謂壞府毒藥無治短鍼無取此皆絕皮傷肉血氣爭異三字與此經不同而註意大異楊上善註云言欲知病徵者須知其候鹽之在於器中津液泄於外見津而知鹽之有鹹也聲嘶知琴瑟之絃將絕葉落者知陳木之已盡舉此三物衰壞之徵以比聲噦識病深之候人有聲噦同三譬者是爲府壞之候中府壞者病之深也其病既深故鍼藥不能取以其皮肉血氣各不相得故也再詳上善作此等註義方與黃帝上下問答義相貫穿王氏解鹽鹹器津義雖淵微至於註絃絕音嘶木敷葉發殊不與帝問相協考之不若楊義之得多也

帝曰余念其痛心爲之亂惑反甚其病不可更代百姓聞之以爲殘賊爲之柰何

殘謂殘害賊謂損劫言恐步於不仁致慊於黎庶也

岐伯曰夫人生於地懸命於天天地合氣命之曰人

形假物成故生於地命惟天賦故懸於天德氣同歸故謂之人也靈樞經曰天之在我者德地之在我者氣德流氣薄而生者也然德者道之用氣者生之母也

人能應四時者天地爲之父母

人能應四時和氣而養生者天地恒畜養之故爲父母四氣調神大論曰夫四時陰陽者萬物之根本也所以聖人春夏養陽秋冬養陰以從其根故與萬物沉浮於生長之門也

知萬物者謂之天子

知萬物之報本者天地常育養之故謂曰天之子

天有陰陽人有十二節

節謂節氣外所以應十二月内所以主十二經脉也

天有寒暑人有虚實

寒暑有盛衰之紀虚實表多少之殊故人以虚實應天寒暑也

能經天地陰陽之化者不失四時知十二節之理者聖智不能欺也

經常也言能常應順天地陰陽之道而修養者則合四時生長之宜能知十二節氣之所遷至者雖聖智亦不欺侮而奉行之也

能存八動之變五勝更立能達虚實之數者獨出獨入呿吟至微秋毫在目

存謂心存達謂明達呿謂欠呿吟謂吟嘆秋毫在目言細必察也八動謂八節之風變動五勝謂五行之氣相勝立謂當其王時變謂氣至而變易知是三者則應效明著速猶影響此自神之獨出獨入亦非鬼靈能召遣也△新校正云按楊上善云呿祛遮反謂露齒出氣

帝曰人生有形不離陰陽天地合氣別爲九野分爲四時月有小大日有短長萬物並至不可勝量虛實呿吟敢問其方

請說用鍼之意

岐伯曰木得金而伐火得水而滅土得木而達金得火而缺水得土而絕萬物盡然不可勝竭

達通也言物類雖不可竭盡而數要之
皆如五行之氣而有勝負之性分爾
故鍼有懸布天下者五黔首共餘食莫知之也
言鍼之道有若高懸示人彰布於天下者五
矣而鍼百姓共知餘食咸棄蔑之不務於本而
崇乎末莫知眞要深在其中所謂五者次如
下句○新校正云按全元起本餘食作飽食
註云人愚不解陰陽不知鍼之妙飽食終日
莫能知其妙益又太素作飲食楊上善註云
黔首共服用此道然
不能得其意　黔音鈐
一曰治神
專精其心不妄動亂也所以云手如握虎神
無營於衆物蓋欲調治精神專其心也○新
校正云按楊上善云存生之道知此五者以
爲攝養可得長生也魂神意魄志以爲神主
故皆名神欲爲鍼者先須治神故人無悲哀
動中則魂不傷肝得無病秋無難也無怵惕

思慮則神不傷心得無病冬無難也無愁憂不解則意不傷脾得無病春無難也無喜樂不極則魄不傷肺得無病夏無難也無盛怒者則志不傷腎得無病季夏無難也是以五過不起於心則神清性明五神各安其藏則壽延遐算也

二曰知養身

知養已身之法亦如養人之道矣陰陽應象大論曰用鍼者以我知彼用之不殆此之謂也○新校正云按太素身作形揚上善云飲食男女節之以限風寒暑濕攝之以時有異單豹外調之害即內養形也實慈恕以愛人和塵勞而不迹有殊張毅高門之傷即外養形也內外之養周備則不求生而久生無期壽而長壽此則鍼布養形之極也玄元皇帝曰太上養神其次養形詳王氏之註專治神養身於用鍼之際其說甚狹不若上善之說爲優若必以此五者解爲用鍼之際則下文知毒藥爲眞王氏亦不專用鍼爲解也

三曰知毒藥爲眞

毒藥攻邪順宜而用正眞之道其在兹乎

四曰制砭石小大

古者以砭石爲鍼故不舉九鍼但言砭石爾當制其大小者隨病所宜而用之○新校正云按全元起云砭石者是古外治之法有三名一鍼二砭石三鑱石其實一也古來未能鑄鉄故用石爲鍼故名之鍼石言工必砥礪鋒利制其小大之形與病相當黄帝造九鍼以代鑱石上古之治者各隨方所宜東方之人多癰腫聚結故砭石生於東方

五曰知府藏血氣之診

諸陽爲府諸陰爲藏故血氣形志篇曰太陽多血少氣少陽少血多氣陽明多氣少血少陰少血多氣厥陰多血少氣太陰多氣少血是以刺陽明出血氣刺太陽出血惡氣刺少

陽出氣惡血刺太陰出氣惡血刺少陰出氣惡血刺厥陰出血惡氣也精知多少則補寫萬全

五法俱立各有所先

事宜則應者先用

今末世之刺也虛者實之滿者泄之此皆衆工所共知也若夫法天則地隨應而動和之者若響隨之者若影道無鬼神獨來獨往

隨應而動言其効也若影若響言其近也夫如影之隨形響之應聲豈復有鬼神之召遣耶盖由隨應而動之自得爾

帝曰願聞其道岐伯曰凡刺之眞必先治神

專其精神寂無動亂刺之真要其在斯焉

五藏已定九候已備後乃存鍼

先定五藏之脉備循九候之診而有大過不及者然後乃存意於用鍼之法

衆脉不見衆凶弗聞外内相得無以形先

衆脉謂七診之脉衆凶謂五藏相乘外内相得言形氣相得也無以形先言不以已形之衰盛寒温料病人之形氣使同於已也故下文曰

可玩往來乃施於人

玩謂玩弄言精熟也標本病傳論曰謹熟陰陽無與衆謀此其類也○新校正云按此文出陰陽别論此云標本病傳論者誤也

人有虚實五虚勿近五實勿遠至其當發間不

容瞚

人之虛實非其遠近而有之蓋由血氣一時之盈縮爾然其未發則如雲垂而視之可久至其發也則如電滅而指所不及遲速之殊有如此矣△新校正云按甲乙經瞚作䁡全元起本及太素作眴瞚音舜

手動若務鍼耀而勻

手動用鍼心如專務於一事也鍼經曰一其形聽其動靜而知邪正此之謂也鍼耀而勻謂鍼形光淨上下勻平也

靜意視義觀適之變是謂冥冥莫知其形

冥冥言血氣變化之不可見也故靜意視息以義斟酌觀所調適經脉之變易爾雖且鍼下用意精微而測量之猶不知變易形容誰爲其象也△新校正云按八正神明論云觀

其冥冥者言形氣榮衛之不形於外而工獨知之以日之寒溫月之虛盛四時氣之浮沉參伍相合而調之工常先見之然而不形於外故曰觀於冥冥焉

見其烏烏見其稷稷從見其飛不知其誰

烏烏歎其氣至稷稷嗟其已應言所鍼得失如從空中見飛鳥之往來豈復知其所使之元主耶是但見經脈盈虛而爲信亦不知其誰之所召遣爾

伏如橫弩起如發機

血氣之未應鍼則伏如橫弩之安靜其應鍼也則起如機發之迅疾

帝曰何如而虛何如而實

言血氣既伏如橫弩起如發機然其虛實豈留呼而可爲準定耶虛實之形何如而約之

岐伯曰刺虛者須其實刺實者須其虛

言要以氣至有効而爲約不必守息數而爲定法也

經氣已至愼守勿失

無變法而失經氣也

深淺在志遠近若一如臨深淵手如握虎神無營於衆物

言精心專一也所鍼經脉雖深淺不同然其補寫皆如一俞之專意故手如握虎神不外營焉△新校正云按鍼解論云刺實須其虛者留鍼陰氣隆至乃去鍼也刺虛須其實者陽氣隆至鍼下熱乃去鍼也經氣已至愼守勿失者勿變更也深淺在志者知病之內外也遠近如一者深淺其候等也如臨深淵者不敢墮也手如握虎者欲其壯也神無營於衆物也靜志觀病人無左右視也

○八正神明論篇第二十六

新校正云按全元起本在第二卷又與太素知官能篇大意同文勢小異

黃帝問曰用鍼之服必有法則焉今何法何則

服事也法象也則準也約也

岐伯對曰法天則地合以天光

謂合日月星辰之行度

帝曰願卒聞之岐伯曰凡刺之法必候日月星辰四時八正之氣氣定乃刺之

候日月者謂候日之寒溫月之空滿也星辰者謂先知二十八宿之分應水漏刻者也畧而言之常以日加之於宿上則知人氣在太陽否日行一舍人氣在三陽與陰分矣細而

言之從房至畢十四宿水下五十刻半日之度也從昴至心亦十四宿水下五十刻終日之度也是故從房至畢者爲陽從昴至心者爲陰陽主晝陰主夜也凡日行一舍故水下三刻與七分刻之四也靈樞經曰水下一刻人氣在太陽水下二刻人氣在少陽水下三刻人氣在陽明水下四刻人氣在陰分水下不止人氣行亦爾又曰日行一舍人氣行於身一周與十分身之八日行二舍人氣行於身三周與十分身之六日行三舍人氣行於身五周與十分身之四日行四舍人氣行於身七周與十分身之二日行五舍人氣行於身九周然日行二十八舍人氣亦行於身五十周與十分身之四由是故人必候日月星辰也四時八正之氣者謂四時正氣八節之風來朝於太一者也謹候其氣之所在而刺之氣定乃刺之者謂八節之風氣靜定乃可以刺經脉調虛實也故曆忌云八節前後各五日不可刺灸凶是則謂氣未定故不可刺灸也○新校正云按八節風朝太一具天元玉册

中

是故天溫日明則人血淖液而衛氣浮故血易寫氣易行天寒日陰則人血凝泣而衛氣沉

月始生則血氣始精衛氣始行月郭滿則血氣

泣謂如水中居雪也泣音澁奴教反多也

實肌肉堅月郭空則肌肉減經絡虛衛氣去形獨居是以因天時而調血氣也是以天寒無刺

血凝泣而衛氣沉也

天溫無凝

血淖液而氣易行也

月生無寫月滿無補月郭空無治是謂得時而調之謂得天時也因天之序盛虛之時移光定位正立而待之候日遷移定氣所在南面正立待氣至而調之也故曰月生而寫是謂藏虛血氣弱也△新校正云按全元起本藏作減藏當作減月滿而補血氣揚溢絡有留血命曰重實絡一爲經誤血氣盛也留一爲流非也月郭空而治是謂亂經陰陽相錯真邪不別沉

以留止外虛內亂淫邪乃起 氣失紀故淫邪起

帝曰星辰八正何候岐伯曰星辰者所以制日月之行也 制謂制度定星辰則可知日月行之制度矣略而言之周天二十八宿三十六分人氣行一周天九一千八分周身十六丈二尺以應二十八宿合漏水百刻都行八百一十丈以分晝夜也故人十息氣行六尺日行二分二百七十息氣行十六丈二尺一周於身水下二刻日行二十分五百四十息氣行再周於身水下四刻日行四十分二千七百息氣行十周於身水下二十刻日行五宿二十分一萬三千五百息氣行五十周於身水下百刻日行二十八宿也細而言之則常以一十周加之一分又十分分之六乃奇分盡矣是故

星辰所以制日月之行度也○新校正云詳周天二十八宿至日行二十八宿也本靈樞文今具甲乙經中

八正者所以候八風之虛邪以時至者也

八正謂八節之正氣也八風者東方嬰兒風南方大弱風西方剛風北方大剛風東北方凶風東南方弱風西南方謀風西北方折風也虛邪謂乘人之虛而為病者也以時至謂天應太一移居以八節之前後風朝中宮而至者也○新校正云詳太一移居風朝中宮義具天元玉冊

四時者所以分春秋冬夏之氣所在以時調之也八正之虛邪而避之勿犯也

四時之氣所在者謂春氣在經脈夏氣在孫絡秋氣在皮膚冬氣在骨髓也然觸冒虛邪

動傷眞氣避而勿犯乃不病焉靈樞經曰聖人避邪如避矢石盖以其能傷眞氣也

以身之虛而逢天之虛兩虛相感其氣至骨入則傷五藏

以虛感虛同氣而相應也

工候救之弗能傷也

候知而止故弗能傷之救止也

故曰天忌不可不知也

人忌於天故云天忌犯之則病故不可不知也

帝曰善其法星辰者余聞之矣願聞法往古者

岐伯曰法往古者先知鍼經也驗於來今者先

知日之寒溫月之虚盛以候氣之浮沉而調之於身觀其立有驗也

候氣不差故立有驗

觀其冥冥者言形氣榮衛之不形於外而工獨知之

明前篇靜意視義觀適之變是謂冥冥莫知其形也雖形氣榮衛不形見於外而工以心神明悟獨得知其衰盛焉善惡悉可明之○新校正云按前篇乃寳命全形論

以日之寒溫月之虚盛四時氣之浮沉參伍相合而調之工常先見之然而不形於外故曰觀於冥冥焉

工所以常先見者何哉以守法而神通明也

通於無窮者可以傳於後世也是故工之所以異也

法著故可傳後世後世不絕則應用通於無窮矣以獨見知故工所以異於人也

然而不形見於外故俱不能見也

工異於粗者以粗俱不能見也

視之無形嘗之無味故謂冥冥若神髣髴

言形氣榮衛不形於外以不可見故視無形嘗無味伏如横弩起如發機窈窈冥冥莫知元主謂如神運髣髴焉若如也髣音放髴音弗

虚邪者八正之虚邪氣也

八正之虚邪謂八節之虚邪也以從虚之鄉來襲虚而入爲病故謂之八正虚邪

正邪者身形若用力汗出腠理開逢虚風其中人也微故莫知其情莫見其形

正邪者不從虚之鄉來也以中人微故莫知其情意莫見其形狀

上工救其萌芽必先見三部九候之氣盡調不敗而救之故曰上工下工救其已成救其已敗救其已成者言不知三部九候之相失因病而敗之也

義備離合真邪論中

知其所在者知診三部九候之病脉處而治之

故曰守其門戶焉莫知其情而見邪形也

三部九候爲候邪之門戶也守門戶故見邪形以中人微故莫知其情狀也

帝曰余聞補寫未得其意岐伯曰寫必用方方者以氣方盛也以月方滿也以日方溫也以身方定也以息方吸而内鍼乃復候其方吸而轉鍼乃復候其方呼而徐引鍼故曰寫必用方其氣而行焉

方猶正也寫邪氣出則眞氣流行矣

補必用員員者行也行者移也

行謂宣不行之氣令必宣行移謂移未復之脉俾其平復

刺必中其榮復以吸排鍼也

鍼入至血謂之中榮

故員與方非鍼也

所言方員者非謂鍼形正謂行移之義也

故養神者必知形之肥瘦榮衛血氣之盛衰血氣者人之神不可不謹養

神安則壽延神去則形弊故不可不謹養也

帝曰妙乎哉論也合人形於陰陽四時虛實之應冥冥之期其非夫子孰能通之然夫子數言形與神何謂神何謂形願卒聞之

神謂神智通悟形謂形診可觀

岐伯曰請言形形乎形目冥冥問其所病

新校正云按甲乙經作捫其所痛義亦通

索之於經慧然在前按之不得不知其情故曰形

外隱其無形故目冥冥而不見內藏其有象故以診而可索於經也慧然在前按之不得言三部九候之中卒然逢之不可爲之期準也離合眞邪論曰在陰與陽不可爲度從而察之三部九候卒然逢之早過其路此其義也

帝曰何謂神岐伯曰請言神神乎神耳不聞目明心開而志先慧然獨悟口弗能言俱視獨見

適若昏昭然獨明若風吹雲故曰神。

耳不聞言神用之微密也目明心開而志先者言心之通如昏昧開卷目之見如氣騎闢明神雖內融志已先往矣慧然謂清爽也悟猶了達也慧然獨悟口弗能言者謂心中清爽而了達口不能宣吐以寫心也俱視獨見適若昏者歎見之異速也言與衆俱視我忽獨見適猶若昏昧爾既獨見了心眼昭然獨能明察若雲隨風卷日麗天明至哉神乎妙用如是不可得而言也

三部九候爲之原九鍼之論不必存也

以三部九候經脈爲之本原則可通神悟之妙用若以九鍼之論會議則其旨推傳其知彌遠矣故曰三部九候爲之原九鍼之論不必存也

○離合眞邪論篇第二十七

新校正云按全元起本在第一卷名經合第二卷重出名眞邪

黃帝問曰余聞九鍼九篇夫子乃因而九之九九八十一篇余盡通其意矣經言氣之盛衰左右傾移以上調下以左調右有餘不足補寫於榮輸余知之矣此皆榮衛之傾移虛實之所生非邪氣從外入於經也余願聞邪氣之在經也其病人何如取之柰何岐伯對曰夫聖人之起度數必應於天地故天有宿度地有經水人有經脉

宿謂二十八宿度謂天之三百六十五度也經水者謂海水涇水渭水湖水沔水汝水江

水淮水漯水河水漳水濟水也以其内合經脉故名之經水焉經脉者謂手足三陰三陽之脉所以言者以内外參合人氣應通故言之也○新校正云按甲乙經云足陽明外合於海水内屬於胃足太陽外合於清水内屬膀胱足少陽外合於渭水内屬於膽足太陰外合於湖水内屬於脾足厥陰外合於沔水内屬於肝足少陰外合於汝水内屬於腎手陽明外合於江水内屬於大腸手太陽外合於淮水内屬於小腸手少陽外合於漯水内屬於三焦手太陰外合於河水内屬於肺手心主外合於漳水内屬於心包手少陰外合於濟水内屬於心

天地溫和則經水安靜天寒地凍則經水凝泣天暑地熱則經水沸溢卒風暴起則經水波涌而隴起

大經脉亦應之

夫邪之入於脉也寒則血凝泣暑則氣淖澤虚邪因而入客亦如經水之得風也經之動脉其至也亦時隴起其行於脉中循循然

循循然順動貌言隨順經脉之動息因循呼吸之往來但形狀或異耳循循一爲輴輴輴較反倫

其至寸口中手也時大時小大則邪至小則平其行無常處

大謂大常平之形診小者非細小之謂也以其比大則謂之小若無大以比則自是平常之經氣耳然邪氣者因其陰氣則入陰經因其陽氣則入陽脉故其行無常處也

在陰與陽不可爲度以隨經脉之流運也從而察之三部九候卒然逢之早遏其路逢謂逢遇遏謂遏絶三部之中九候之位卒然逢遇當按而止之即而寫之逕路既絶則大邪之氣無能爲也所謂寫者如下文云吸則内鍼無令氣忤靜以久留無令邪布吸則轉鍼以得氣爲故候呼引鍼呼盡乃去大氣皆出故命曰寫按經之旨先補眞氣乃寫其邪也何以言之下文補法呼盡内鍼靜以久留此段寫法吸則内鍼又靜以久留然呼盡則次其吸至則不無呼内鍼之候既同久留之理復一則

先補之義昭然可知鍼經云寫曰迎之迎之意必持而內之放而出之排陽出鍼疾氣得泄補曰隨之隨之意若忘之若行若悔如蚊虻止如留如還則補之必久留也所以先補者眞氣不足鍼乃寫之則經脉不滿邪氣無所排遣故先補眞氣令足後乃寫出其邪矣引謂引出去謂離穴候呼而引至其門呼盡乃離穴戶則經氣審以平定邪氣無所拘留故大邪之氣隨鍼而出也呼謂氣出吸謂氣入轉謂轉動也大氣謂大邪之氣錯亂陰陽者也

帝曰不足者補之柰何岐伯曰必先捫而循之切而散之推而按之彈而怒之抓而下之通而取之外引其門以閉其神

捫循謂手摸切謂指按也捫而循之欲氣舒緩切而散之使經脉宣散推而按之排蹙其

皮也彈而怒之使脉氣䐜滿也抓而下之置鍼準也適而取之以常法也外引其門以閉其神則推而按之者也謂處按穴外之皮令當應鍼之處鍼已放去則不破之皮盖其所刺之門門户不開則神氣內守故云以閉其神也調經論曰外引其皮令當其門户又曰推闔其門令神氣存此之謂也△新校正云按王引調經論文今詳非本論之文傍見甲乙經鍼道篇又曰已下乃當篇之文也〇闔音門〇抓側交反

呼盡內鍼，靜以久留，以氣至為故，

呼盡內鍼亦同吸也言以氣至而為去鍼之故不以息之多數而便去鍼也鍼經曰刺之而氣不至無問其數刺之氣至去之勿復鍼此之謂也無問息數以為遲速之約要當以氣至而鍼去不當以鍼下氣未至而鍼出乃更為也

如待所貴，不知日暮，

諭入事於候氣也暮晚也

其氣以至適而自護

適調適適也護慎守也言氣以平調則當慎守勿令改變使疾更生也鍼經曰經氣已至慎守勿失此其義也所謂慎守當如下說△新校正云詳王引鍼經之言乃素問寶命全形論篇文兼見于鍼解論耳

候吸引鍼氣不得出各在其處推闔其門令神氣存大氣留止故命曰補

正言也外門已閉神氣復存候吸引鍼大氣不泄補之為義斷可知焉然此大氣謂大經之氣流行營衛者

帝曰候氣柰何

謂候可取之氣也

岐伯曰夫邪去絡入於經也舍於血脉之中繆刺論曰邪之客於形也必先舍於皮毛留而不去入舍於孫脉留而不去入舍於絡脉留而不去入舍於經脉故云去絡入於經也其寒溫未相得如涌波之起也時來時去故不常在以周遊於十六丈二尺經脉之分故不常在於所候之處也故曰方其來也必按而止之止而取之無逢其衝而寫之衝謂應水刻數之平氣也靈樞經曰水下一刻人氣在太陽水下二刻人氣在少陽水下

三刻人氣在陽明水下四刻人氣在陰分然氣在太陽則太陽獨盛氣在少陽則少陽獨盛夫見獨盛者便謂邪來以鍼寫之則反傷真氣故下文曰

眞氣者經氣也經氣大虛故曰其來不可逢此之謂也

經氣應刻乃謂為邪工若寫之則深誤也故曰其來不可逢

故曰候邪不審大氣已過寫之則眞氣脫脫則不復邪氣復至而病益蓄

不悟其邪反誅無罪則眞氣泄脫邪氣復侵經氣大虛故病彌蓄積

故曰其往不可追此之謂也

已隨經脉之流去不可復追召使還

不可挂以髮者待邪之至時而發鍼寫矣

言輕微而有尚且知之況若湧波不知其至也

若先若後者血氣已盡其病不可下

言不可取而取失時也△新校正云按全元起本作血氣已虛盡字當作虛字之誤也

故曰知其可取如發機不知其取如扣椎故曰知機道者不可挂以髮不知機者扣之不發此之謂也

機者動之微言貴知其微也

帝曰補寫柰何歧伯曰此攻邪也疾出以去盛血而復其眞氣

視有血者乃取之

此邪新客溶溶未有定處也推之則前引之則止逆而刺之溫血也

言邪之新客未有定居推鍼補之則隨補而前進若引鍼致之則隨引而留止也若不出盛血而反溫之則邪氣内勝反及增其害故下文曰

刺出其血其病立已帝曰善然真邪以合波隴不起候之奈何岐伯曰審捫循三部九候之盛虛而調之

盛者寫之虛者補之不盛不虛以經取之則其法也

察其左右上下相失及相減者審其病藏以期

之

氣之在陰則候其氣之在於陰分而刺之氣之在陽則候其氣之在於陽分而刺之是謂逢時靈樞經曰水下一刻人氣在太陽水下四刻人氣在陰分也積刻不已氣亦隨在周而復始故審其病藏以期其氣而刺之

不知三部者陰陽不別天地不分地以候地天以候天人以候人調之中府以定三部故曰刺不知三部九候病脉之處雖有大過且至工不能禁也

禁謂禁止也然候邪之處尚未能知病復能禁止其候氣耶

誅罰無過命曰大惑反亂大經眞不可復用實

爲虛以邪爲眞用鍼無義反爲氣賊奪人正氣以從爲逆榮衛散亂眞氣已失邪獨內著絕人長命予人天殃不知三部九候故不能以長

識非精辨學未該明且亂大經又爲氣賊動爲殘害安可久乎

因不知合之四時五行因加相勝釋邪攻正絕人長命

非惟昧三部九候之爲弊若不知四時五行之氣序亦足以殞絕其生靈也

邪之新客來也未有定處推之則前引之則止逢而寫之其病立已

再言之者其法必然

○通評虛實論篇第二十八

新校正云按全元起本在第四卷

黃帝問曰何謂虛實岐伯對曰邪氣盛則實精氣奪則虛

奪謂精氣減少如奪去也

帝曰虛實何如

言五藏虛實之大體也

岐伯曰氣虛者肺虛也氣逆者足寒也非其時則生當其時則死

非時謂年直之前後也當時謂正直之年也

餘藏皆如此

五藏同

帝曰何謂重實岐伯曰所謂重實者言大熱病氣熱脉滿是謂重實帝曰經絡俱實何如何以治之岐伯曰經絡皆實是寸脉急而尺緩也皆當治之故曰滑則從濇則逆也

脉急謂脉口也

夫虛實者皆從其物類始故五藏骨肉滑利可以長久也

物之生則滑利物之死則枯濇故濇爲逆滑爲從從謂順也

帝曰絡氣不足經氣有餘何如岐伯曰絡氣不足經氣有餘者脉口熱而尺寒也秋冬爲逆春夏爲從治主病者

春夏陽氣高故脉口熱尺中寒爲順也十二經十五絡各隨左右而有大過不足工當尋其至應以施鍼艾故云治主病者也

帝曰經虛絡滿何如岐伯曰經虛絡滿者尺熱滿脉口寒澁也此春夏死秋冬生也

秋冬陽氣下故尺中熱脉口寒爲順也

帝曰治此者柰何岐伯曰絡滿經虛灸陰刺陽經滿絡虛刺陰灸陽

以陰分主絡陽分主經故耳

帝曰何謂重虛

此反問前重實也

岐伯曰脉氣上虛尺虛是謂重虛

言尺寸脉俱虛○新校正云按甲乙經作脉虛氣虛尺虛是謂重虛此少一虛字多一上字王注言尺寸脉俱虛則不無氣虛也詳前熱病氣熱脉滿為重實此脉虛氣虛尺虛為重虛是脉與氣俱實為重實俱虛為重虛不但尺寸俱虛為重虛也

帝曰何以治之岐伯曰所謂氣虛者言無常也尺虛者行步恇然

寸虛則脉動無常尺虛則行步恇然不足○新校正云按楊上善云氣虛者膻中氣不定

也王謂寸虛則脉動無常非也

脉虛者不象陰也

不象太陰之候也何以言之氣口者脉之要會手太陰之動也

如此者滑則生濇則死也帝曰寒氣暴上脉满而實何如

言氣熱脉滿已謂重實滑則從濇則逆今氣寒脉滿亦可謂重實乎其於滑濇生死逆從何如

岐伯曰實而滑則生實而逆則死

逆謂濇也○新校正云詳王氏以逆為濇大非古文簡略辭多互文上言滑而下言逆舉滑則從可知言逆則濇可見非謂逆為濇也

帝曰脉實滿手足寒頭熱何如岐伯曰春秋則生冬夏則死

大略言之夏手足寒非病也是夏行冬令夏得則冬死冬冬脉實滿頭熱亦非病也是冬行夏令冬得則夏亡反冬夏以言之則皆不死春秋得之是病故生死皆在時之孟月也

脉浮而濇濇而身有熱者死

新校正云按甲乙經移續於此舊在後帝曰形度骨度脉度筋度何以知其度也下對問義不相類王氏頗知其錯簡而不知皇甫士安嘗移附於此今去後條移從於此

帝曰其形盡滿何如岐伯曰其形盡滿者脉急大堅尺濇而不應也

形盡滿謂四形藏盡滿也○新校正云按甲乙經太素濇作滿

如是者從則生逆則死帝曰何謂從則生逆則
死岐伯曰所謂從者手足溫也所謂逆者手足
寒也帝曰乳子而病熱脉懸小者何如
懸謂如懸物之動也
岐伯曰手足溫則生寒則死
新校正云按太素無手字楊上善云足溫氣下故生脉寒氣不下者逆而致死
帝曰乳子中風熱喘鳴肩息者脉何如岐伯曰
喘鳴肩息者脉實大也緩則生急則死
緩謂如縱緩急謂如弦張之急非往來之緩急也正理傷寒論曰緩則中風故乳子中風脉緩則生急則死

帝曰腸澼便血何如岐伯曰身熱則死寒則生

熱爲血敗故死寒爲榮氣在故生

帝曰腸澼下白沫何如岐伯曰脉沉則生脉浮則死

陰病而見陽脉與證相反故死

帝曰腸澼下膿血何如岐伯曰脉懸絕則死滑大則生帝曰腸澼之屬身不熱脉不懸絕何如岐伯曰滑大者曰生懸濇者曰死以藏期之

肝見庚辛死心見壬癸死肺見丙丁死腎見戊己死脾見甲乙死是謂以藏期之

帝曰癲疾何如岐伯曰脉搏大滑久自已脉小

堅急死不治

脉小堅急爲陰陽病而見陰脉故死不治○新校正云按巢元方云脉沉小急實死不治小牢急亦不可治

帝曰癲疾之脉虚實何如岐伯曰虚則可治實則死

以反證故

帝曰消癉虚實何如岐伯曰脉實大病久可治脉懸小堅病久不可治

久病血氣衰脉不當實大故不可治○新校正云詳經言實大病久可治注意以爲不可治按甲乙經太素全元起本並云可治又按巢元方云脉數大者生細小浮者死又云沉

小者生實牢大者死癉徒丹反勞病也

帝曰形度骨度脉度筋度何以知其度也

形度具三備經筋度脉度骨度並具在靈樞經中此問亦合在彼經篇首錯簡也一經以此問爲從論首非也

帝曰春亟治經絡夏亟治經俞秋亟治六府冬則閉塞閉塞者用藥而少鍼石也

亟猶急也閉塞謂氣之門户閉塞也

所謂少鍼石者非癰疽之謂也

冬月雖氣門閉塞然癰疽氣烈內作大膿不急寫之則爛筋腐骨故雖冬月亦宜鍼石以開除之

癰疽不得頃時回

所以癰疽之病冬月猶得用鑱石者何此病頃時回轉之間過而不寫則内爛筋骨穿通藏府

癰不知所按之不應手乍來乍已刺手太陰傍三痏與纓脈各二

但覺似有癰疽之候不的知發在何處故按之不應手也乍來乍已言不定痛於一處也手太陰傍足陽明脈謂胃部氣户等六穴之分也纓脈亦足陽明脈也近纓之脈故曰纓脈纓謂冠帶也以有左右故云各二

腋癰大熱刺足少陽五刺而熱不止刺手心主三刺手太陰經絡者大骨之會各三

大骨會肩也謂肩貞穴在肩髃後骨解間陷者中

暴癰筋緛隨分而痛魄汗不盡胞氣不足治在經俞

癰若暴發隨脉所過筋怒緛急肉分中痛汗液滲泄如不盡兼胞氣不足者悉可以本經脉穴俞補寫之○新校正云按此二條舊散在篇中今移使相從

腹暴滿按之不下取太陽經絡者胃之募也

太陽爲手太陽也手太陽經絡之所生故取中脘穴即胃之募也中誥曰中脘胃募也居蔽骨與臍之中手太陽少陽足陽明脉所生故云經絡者胃募也○新校正云按甲乙經云取太陽經絡血者則已無胃之募也等字又楊上善註云足太陽其說各不同未知孰是

少陰俞去脊椎三寸傍五用員利鍼

謂取足少陰俞外去脊椎三寸兩傍穴各五痏也少陰俞謂第十四椎下兩傍腎之俞也○新校正云按甲乙經云用員利鍼刺已如食頃久立已必視其經之過於陽者數刺之

霍亂刺俞傍五

霍亂者取少陰俞傍志室穴○新校正云按楊上善云刺主霍亂俞傍五取之

足陽明及上傍三

足陽明言胃俞也取胃俞兼取少陰俞外兩傍向上第三穴則胃倉穴也

刺癇驚脉五

謂陽陵泉在膝上外陷者中也

鍼手太陰各五刺經太陽五刺手少陰經絡傍

者一足陽明一上踝五寸刺三鍼經太陽謂足太陽也手太陰五謂魚際穴在手大指本節後內側散脉經太陽五謂承山穴在足腨腸下分肉間陷者中也手少陰經絡傍者謂支正穴在腕後同身寸之五寸骨上廉肉分間手太陽絡別走少陰者足陽明一者謂解谿穴在足腕上陷者中也上踝五寸謂足少陽絡光明穴○按內經明堂中誥圖經悉主霍亂各具明文○新校正云按別本註云悉不主霍亂未詳所謂又按甲乙經太素刺癇驚脉五至此為刺驚癇王註為刺霍亂者王註非也

凡治消癉仆擊偏枯痿厥氣滿發逆肥貴人則高梁之疾也隔則閉絕上下不通則暴憂之病也暴厥而聾偏塞閉不通內氣暴薄也不從內

外中風之病故瘦留著也躄跛寒風濕之病也

消謂內消癉謂伏熱厥謂氣逆高膏也梁粱也躄謂足也夫肥者令人熱中甘者令人中滿故熱氣內薄發為消渴偏枯氣滿逆也逆者謂違背常候與平人異也然愁憂者氣閉塞而不行故隔塞否閉氣脉斷絕而上下不通也氣固於內則大小便道偏不得通泄也何者藏府氣不化禁固而不宣散故爾外風中人伏藏不去則陽氣內受為熱外燔肌肉消爍故留薄肉分消瘦而皮膚著於筋骨也濕勝於足則筋不利寒勝於足則攣急風濕寒勝則衛氣結聚衛氣結聚則肉痛故足跛而不可履也躄之石反

黃帝曰黃疸暴痛癲疾厥狂久逆之所生也五藏不平六府閉塞之所生也頭痛耳鳴九竅不利腸胃之所生也

足之三陽從頭走足然久厥逆而不下行則氣怫積於上焦故爲黃疸暴痛癲狂氣逆矣食飲失宜吐利過節故六府閉塞而令五藏之氣不和平也腸胃否塞則氣不順序氣不順序則上下中外互相勝負故頭痛耳鳴九竅不利也

○太陰陽明論篇第二十九 新校正云按全元起本在第四卷

黃帝問曰太陰陽明爲表裏脾胃脉也生病而異者何也 脾胃藏府皆令於土病生而異故問不同

岐伯對曰陰陽異位更虛更實更逆更從或從內或從外所從不同故病異名也

脾藏爲陰胃府爲陽陽脉下行陰脉上行陽脉從外陰脉從内故言所從不同病異名也○新校正云按楊上善云春夏陽明爲實太陰爲虛秋冬太陰爲實陽明爲虛即更實更虛也春夏太陰爲逆陽明爲從秋冬陽明爲逆太陰爲從即更逆更從也

帝曰願聞其異狀也岐伯曰陽者天氣也主外陰者地氣也主内故陽道實陰道虛是所謂陰陽異位也故犯賊風虛邪者陽受之食飲不節起居不時者陰受之是所謂更實更虛也

是所謂或從內或從外也

陽受之則入六府陰受之則入五藏入六府則身熱不時卧上爲喘呼入五藏則䐜滿閉塞下爲飧泄久爲腸澼

是所謂所從不同病異名也

故喉主天氣咽主地氣故陽受風氣陰受濕氣

同氣相求爾

故陰氣從足上行至頭而下行循臂至指端陽氣從手上行至頭而下行至足

是所謂更逆更從也靈樞經曰手之三陰從藏走手手之三陽從手走頭足之三陽從頭

走足足之三陰從足走腹
所行而異故更逆更從也

故曰陽病者上行極而下陰病者下行極而上

此言其大凡爾然足少陰脉
下行則不同諸陰之氣也

故傷於風者上先受之傷於濕者下先受之

陽氣炎上故受風陰氣潤下
故受濕盖同氣相合故爾

帝曰脾病而四支不用何也岐伯曰四支皆稟

氣於胃而不得至經

新校正云按太素至經作徑至楊上善云胃
以水穀資四支不能徑至四支要因於脾得

水穀津液營
衛於四支

必因於脾乃得稟也

脾氣布化水穀精液四支乃可以稟受也

今脾病不能爲胃行其精液四支不得稟水穀氣氣日以衰脉道不利筋骨肌肉皆無氣以生故不用焉帝曰脾不主時何也

肝主春心主夏肺主秋腎主冬四藏皆有正應而脾無正主也

岐伯曰脾者土也治中央常以四時長四藏各十八日寄治不得獨主於時也脾藏者常著胃土之精也土者生萬物而法天地故上下至頭足不得主時也

治主也著謂常約著於胃也土氣於四時之中各於季終寄王十八日則五行之氣各王

七十二日以終一歲之日矣外主四季則在人內應於手足也

帝曰脾與胃以膜相連耳新校正云按太素作以募相逆楊上善云脾陰胃陽脾內胃外其位各異故相逆也而能爲之行其津液何也岐伯曰足太陰者三陰也其脉貫胃屬脾絡嗌故太陰爲之行氣於三陰陽明者表也胃是脾之表也五藏六府之海也亦爲之行氣於三陽藏府各因其經而受氣於陽明故爲胃行其津液四支不得稟水穀氣日以益衰陰道不利筋骨肌肉

無氣以生故不用焉又覆明脾主四支之義也

○陽明脉解篇第三十新校正云按全元起本在第三卷

黄帝問曰足陽明之脉病惡人與火聞木音則惕然而驚鍾鼓不爲動聞木音而驚何也願聞其故前篇言入六府則身熱不時卧上爲喘呼然陽明者胃脉也今病不如前篇之旨而反聞木音而驚故問其異也

岐伯對曰陽明者胃脉也胃者土也故聞木音

而驚者土惡木也

陰陽書曰木剋土故土惡木也

帝曰善其惡火何也岐伯曰陽明主肉其脉

新校正云按甲乙經脉作肌

血氣盛邪客之則熱熱甚則惡火帝曰其惡人何也岐伯曰陽明厥則喘而惋惋則惡人

惋熱內鬱故惡人煩○新校正云按脉解云欲獨閉户牖而處何也陰陽相搏陽盡陰盛故獨閉户牖而處　惋烏貫反

帝曰或喘而死者或喘而生者何也岐伯曰厥逆連藏則死連經則生

經謂經脉藏謂五神藏所以連藏則死者神去故也

帝曰善病甚則棄衣而走登高而歌或至不食數日踰垣上屋所上之處皆非其素所能也病反能者何也

素本也踰垣謂驀墻也惟其稍異於常踰音予

岐伯曰

新校正云按脉解云陰陽爭而外并於陽

四支者諸陽之本也陽盛則四支實實則能登高也

陽受氣於四支故四支爲諸陽之本也

帝曰其棄衣而走者何也

岐伯曰熱盛於身故棄衣欲走也帝曰其妄言罵詈不避親踈而歌者何也岐伯曰陽盛則使人妄言罵詈不避親踈而不欲食不欲食故妄走也

棄不用也

足陽明胃脉下鬲屬胃絡脾足太陰脾脉入腹屬脾絡胃上鬲俠咽連舌本散舌下故病如是

新刊補註釋文黃帝内經素問卷之四